# 관광중국어
## 마스터

호텔종사자
외식업종사자
관광가이드 편

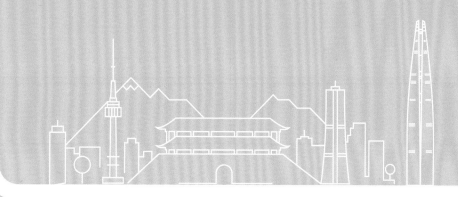

# 저자의 말

『관광중국어 마스터-호텔종사자·외식업종사자·관광가이드편』은 관광 업계에서 일하기를 희망하는 관련 학과 학생들과 종사자들을 위한 교재입니다. 한국 관광과 중국어 회화를 유연하게 접목하여 실제 현장에서 요구되는 중국어 능력을 배양하고, 그와 관련된 문화적 지식도 함께 쌓는 것을 목표로 집필했습니다.

다년간의 호텔·외식·관광 업계 실무 경험을 바탕으로, 중국인 관광객들이 실제로 한국을 여행하는 패턴을 교재의 회화 본문에 반영했습니다. 관광의 기본이 되는 호텔 이용과 관련된 내용부터 한국의 다양한 지역 관광과 음식·문화 체험에 관한 내용까지 다채롭고 체계적인 커리큘럼이 제시되어 있습니다.

또한 대학교의 융합교과 과정에 맞추어 한 학기에 한 권의 책을 마무리할 수 있도록 분량과 난이도 구성에도 공을 들였습니다. 현장감 있는 회화 본문(회화 학습하기)과 함께 새 단어(새 단어 익히기)와 표현(응용 표현 더하기)을 정리하여 제시하였고, 이를 공고히 하기 위해 어법을 설명하는 코너(어법 파헤치기)와 배운 내용을 문제로 확인(실력 향상하기)해 보는 코너를 마련했습니다. 이어지는 활동과 문화 코너(활동 수행하기, 관광의 달인되기)에서는 지도로 국내 주요 관광지의 중국어 표현을 학습하고, 본문과 관련된 심화 정보를 소개하는 등 좀 더 본격적인 실전 대비의 장이 준비되어 있습니다. 마지막으로 배운 단어를 획순에 맞춰 써 보는 코너(간체자 단어쓰기)로 학습을 마무리합니다.

『관광중국어 마스터-호텔종사자·외식업종사자·관광가이드편』이 나오기까지 애써 주신 다락원 중국어출판부에 감사드리며, 이 교재가 관광 업계로 진출하고자 하는 학생들과 중국어를 공부하는 이들에게 도움이 되어 '관광한국'을 이끌어 나가는 인재를 배양하는 데에 보탬이 되기를 바랍니다.

저자 일동

# 이 책의 구성

『관광중국어 마스터-호텔종사자·외식업종사자·관광가이드편』은 세 권으로 이루어진『관광중국어 마스터』시리즈 중 하나로, 중국인이 한국의 여러 지역을 관광하면서 경험할 수 있는 상황을 회화로 제시하여 중국어 표현뿐만 아니라 관광과 관련된 지식도 함께 쌓을 수 있는 교재입니다.

### ◀ 중국어의 기본 개념 & 중국어의 발음

중국어 입문자를 위해 중국어의 기본 개념과 발음을 제시합니다. 본격적인 학습에 앞서 기본기를 탄탄히 다질 수 있습니다.

### ◀ 회화 학습하기

두 개의 회화 본문이 제시됩니다. 실제로 맞닥뜨릴 수 있는 상황으로 구성하여 자연스럽고 실용적인 표현을 학습할 수 있습니다.

### ◀ 새 단어 익히기 & 응용 표현 더하기

'회화 학습하기'에 등장한 새 단어를 모아 정리했습니다. 다시 한 번 단어를 살펴보며 어휘력을 다지고 회화 본문을 완벽히 이해하도록 합니다. 회화 상황에서 사용할 수 있는 표현과 단어를 추가로 학습하여 표현력을 높일 수 있습니다.

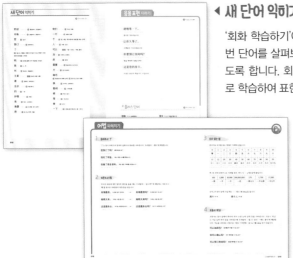

### ◀ 어법 파헤치기

회화 본문의 핵심 표현과 관련된 어법 지식을 예문과 함께 설명합니다.

### ◀ 실력 향상하기

듣기, 쓰기, 말하기 영역을 고루 다룬 문제를 통해 회화 본문의 내용을 잘 이해했는지 확인해 보고, 실력을 한 단계 높일 수 있습니다.

### ◀ 활동 수행하기

지도로 주요 관광지의 위치와 중국어 명칭을 알아봅니다. 조별로 주어진 활동을 수행하면서 관광 지식을 자기 주도적으로 쌓을 수 있습니다.

### ◀ 관광의 달인되기

중국어 실력과 함께 관광과 관련된 문화적 지식도 함께 쌓을 수 있습니다. 다채로운 사진 자료와 풍부한 설명으로 '관광의 달인'이 될 수 있습니다.

### 간체자 단어쓰기 ▶

회화 본문에 등장한 간체자 단어를
획순에 맞춰 써 봅니다.

### ◀ 부록 – 해석 및 모범 답안

'회화 학습하기'의 해석과 '실력 향상하기'의 모범 답안, 녹음 대본이 제시됩니다.
먼저 스스로 답안을 작성해 본 후 모범 답안과 비교해 보며 실력을 향상해 보세요.

# 차례

## 일러두기

중국의 지명과 인명은 중국어 발음을 우리말로 표기하였습니다.
예 北京 베이징　　王莉 왕리

중국어의 품사는 다음과 같이 약어로 표기했습니다.

| 명사 | 명 | 조사 | 조 | 접속사 | 접 |
|---|---|---|---|---|---|
| 동사 | 동 | 개사 | 개 | 조동사 | 조동 |
| 형용사 | 형 | 부사 | 부 | 감탄사 | 감 |
| 대사 | 대 | 수사 | 수 | 고유명사 | 고유 |
| 양사 | 양 | 수량사 | 수량 | 접두사 | 접두 |

# 중국어의 기본 개념

## ● 중국어

중국은 56개의 민족으로 이루어진 다민족 국가입니다. 그중 한족(汉族 Hànzú)이 전체 인구 중 약 92%를 차지하고 있어 중국에서는 중국어를 '한어(汉语 Hànyǔ)'라고 부르며 중국 내 다른 민족의 언어와 구별하고 있습니다. 또한 전국에서 통용되는 표준어를 제정하여 사용하는데 이를 '보통화(普通话 pǔtōnghuà)'라고 합니다. 보통화는 베이징어음을 표준음으로 하고, 북방 방언에 기초합니다.

## ● 간체자

중국에서는 획수가 많고 복잡한 번체자(繁体字 fántǐzì)를 쉽고 간단하게 줄인 간체자(简体字 jiǎntǐzì)를 제정하여 사용합니다. 중국, 싱가포르, 말레이시아 등에서는 간체자를 사용하고 타이완, 홍콩 등에서는 번체자를 사용합니다.

韓國 → 韩国
번체자      간체자

## ● 한어병음

한자는 뜻글자이기 때문에 한자 자체로는 발음을 표현할 수 없습니다. 이에 중국에서는 1958년에 한어병음방안(汉语拼音方案 Hànyǔ Pīnyīn Fāng'àn)을 제정하여 한자의 발음을 표기합니다. 한어병음(汉语拼音 Hànyǔ Pīnyīn)은 한자의 발음을 로마자로 표기하고 주 모음 위에 성조를 덧붙이는 방식을 말합니다. 한어병음은 다음과 같이 성모(声母 shēngmǔ), 운모(韵母 yùnmǔ), 성조(声调 shēngdiào)로 구성됩니다.

성조
zhōng
성모   운모

# 중국어의 발음

## ● 성모 ◉ Track 00-01

성모란 중국어 음절의 시작 소리를 말합니다.

| 쌍순음(双唇音) | b(o) | p(o) | m(o) | |
|---|---|---|---|---|
| 순치음(唇齿音) | f(o) | | | |
| 설첨음(舌尖音) | d(e) | t(e) | n(e) | l(e) |
| 설근음(舌根音) | g(e) | k(e) | h(e) | |
| 설면음(舌面音) | j(i) | q(i) | x(i) | |
| 권설음(卷舌音) | zh(i) | ch(i) | sh(i) | r(i) |
| 설치음(舌齿音) | z(i) | c(i) | s(i) | |

※ 성모 zh, ch, sh, r, z, c, s 뒤에 운모 i를 붙일 때는 '-i[으]'로 읽습니다.

## ● 운모 ◉ Track 00-02

운모란 중국어 음절에서 성모를 제외한 나머지 부분을 말합니다.

| 기본 운모 | 결합 운모 |
|---|---|
| a | ai  ao  an  ang |
| o | ou  ong |
| e | ei  en  eng  er |
| i(yi) | ia(ya)  ie(ye)  iao(yao)  iou(you)  ian(yan)<br>in(yin)  iang(yang)  ing(ying)  iong(yong) |
| u(wu) | ua(wa)  uo(wo)  uai(wai)  uei(wei)<br>uan(wan)  uen(wen)  uang(wang)  ueng(weng) |
| ü(yu) | üe(yue)  üan(yuan)  ün(yun) |

※ 성모 없이 운모를 단독으로 사용할 경우에는 괄호처럼 표기합니다.
※ 다른 색으로 표시된 발음은 주의해야 할 발음입니다.

## 중국어의 발음

● 성조 ◉ Track 00-03

성조는 중국어 음의 높낮이와 그 변화를 말합니다.

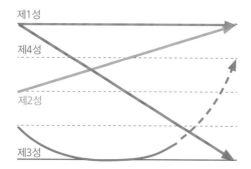

성조가 달라지면 그 뜻도 달라지기 때문에 성조는 의미 구분에 있어 매우 중요한 역할을 합니다.

| 성조 유형 | 발음 방법 |
|---|---|
| 제1성<br>ā | 처음부터 끝까지 같은 높이의 음으로 평평하게 유지합니다.<br>동요 '산~ 토끼 토끼야' 할 때 '산~' 느낌으로 발음합니다.<br>⑩ 八 bā 여덟, 8 |
| 제2성<br>á | 중간 음에서 높은음으로 단번에 끌어올립니다.<br>깜짝 놀라 반응할 때 '네에~?' 하고 되묻는 느낌으로 발음합니다.<br>⑩ 拔 bá 뽑다 |
| 제3성<br>ǎ | 중간 음에서 시작하여 자신이 발음할 수 있는 가장 낮은음까지 내려갔다가 다시 올라갑니다.<br>무언가 깨닫고 '아~ 그렇구나' 할 때 '아~' 느낌으로 발음합니다.<br>⑩ 把 bǎ 잡다 |
| 제4성<br>à | 높은음에서 낮은음으로 단숨에 강하게 끌어내립니다.<br>태권도 기합 넣을 때 '얍' 하는 느낌으로 발음합니다.<br>⑩ 爸 bà 아버지 |

경성은 원래의 성조가 약화된 형태로서 짧고 가볍게 발음하며, 성조를 표기하지 않습니다.
⑩ 吗 ma, 爸爸 bàba

● **제3성의 성조 변화** ◉ Track 00-04

① 제3성은 제1성, 제2성, 제4성과 경성 앞에서 반3성으로 발음합니다. 반3성이란 제3성에서 음이 내려가는 앞부분만 발음하는 것을 말합니다.

제3성 + 제1성
예 Běijīng

제3성 + 제2성
예 Měiguó

제3성 + 제4성
예 hǎokàn

제3성 + 경성
예 xǐhuan

② 제3성이 연이어 쓰일 때에는 앞의 제3성은 제2성으로 발음합니다.

제3성 + 제3성 → 제2성 + 제3성
예 hěn hǎo

● **不(bù)의 성조 변화** ◉ Track 00-05

① 제4성이나 제4성이 경성으로 변한 음절 앞에서는 제2성으로 발음합니다. 이때, 성조 표기도 바뀐 성조로 합니다.

예 búcuò   búshi

② 제1성, 제2성, 제3성 앞에서는 원래 성조인 제4성으로 발음합니다.

예 bù tīng   bù xíng   bù hǎo

● **一(yī)의 성조 변화** ◉ Track 00-06

① 단독으로 쓰이거나 서수사로 쓰일 경우, 원래 성조인 제1성으로 발음합니다.

예 yī   dì-yī

② 제4성이나 제4성이 경성으로 변한 음절 앞에서는 제2성으로 발음합니다. 이때, 성조 표기도 바뀐 성조로 합니다.

예 yí kuài   yí ge

③ 제1성, 제2성, 제3성 앞에서는 제4성으로 발음합니다. 이때, 성조 표기도 바뀐 성조로 합니다.

예 yì fēn   yì píng   yì běn

# 중국어의 발음

● 한어병음 표기 규칙

**(1) 성조**

① 성조는 운모 위에 표기합니다.

　예 chá rén

② 운모에 모음이 여러 개 있는 경우 입이 크게 벌어지는 모음 위에 성조를 표기합니다.

　예 gāo duō lái jiào

③ i 위에 성조를 표기할 경우 i 위의 점은 생략합니다.

　예 dì chī yīfu

④ i와 u가 함께 쓰이는 경우 뒤에 오는 모음 위에 성조를 표기합니다.

　예 jiǔ shuǐ

**(2) 운모 iou, uei, uen과 성모의 결합**

운모 iou, uei, uen이 성모와 함께 쓰이는 경우 가운데 모음을 생략하고 표기합니다.

　예 j+iou → jiu　　　g+uei → gui　　　d+uen → dun

그러나 성모 없이 단독으로 음절을 이루는 경우에는 you, wei, wen으로 표기합니다.

**(3) 성모 j, q, x와 운모 ü의 결합**

성모 j, q, x가 운모 ü와 함께 쓰이는 경우 ü 위의 두 점을 생략합니다.

　예 j+ü → ju　　　q+ün → qun　　　x+üan → xuan

# 오션뷰 방이 있나요?

有海景房吗?

회화 **1** 체크인

● Track 01-01

A 欢迎光临! 您预订了吗?
　Huānyíng guānglín! Nín yùdìngle ma?

B 预订了。我叫王莉。
　Yùdìngle. Wǒ jiào Wáng Lì.

A 请出示您的护照。
　Qǐng chūshì nín de hùzhào.

B 有海景房吗?
　Yǒu hǎijǐng fáng ma?

A 有。
　Yǒu.

## 회화 **2** 침대 추가

A 我们一行三个人，可以加床吗?
　Wǒmen yìxíng sān ge rén, kěyǐ jiā chuáng ma?

B 可以，需要加五万韩币。
　Kěyǐ, xūyào jiā wǔwàn hánbì.

A 可以换套间吗?
　Kěyǐ huàn tàojiān ma?

B 请稍等，我看一下。
　Qǐng shāo děng, wǒ kàn yíxià.

# 새 단어 익히기

欢迎 huānyíng 동 환영하다, 영접하다

光临 guānglín 동 광림하다, 왕림하다

您 nín 대 당신

预订 yùdìng 동 예약하다

了 le
조 [동사나 형용사 뒤에 쓰여 동작 또는 변화가 이미 완료되었음을 나타냄]

吗 ma 조 [문장 끝에 쓰여 의문을 나타냄]

我 wǒ 대 나, 저

叫 jiào 동 부르다, 호출하다

王莉 Wáng Lì 고유 왕리[사람 이름]

请 qǐng 동 청하다, 부탁하다

出示 chūshì 동 제시하다

的 de 조 ~의

护照 hùzhào 명 여권

有 yǒu 동 있다, 소유하다

海景 hǎijǐng 명 오션뷰, 바다 경치

房 fáng 명 방, 집, 주택, 건물

我们 wǒmen 대 우리, 저희

一行 yìxíng 명 일행, 동행

个 gè 양 명, 사람, 개[사람이나 물건을 세는 단위]

人 rén 명 사람, 인간

可以 kěyǐ 조동 ~할 수 있다, ~해도 좋다

加 jiā 동 더하다, 보태다

床 chuáng 명 침대

需要 xūyào 동 필요하다, 요구되다

万 wàn 수 만(10,000)

韩币 hánbì
양 원[한국의 화폐 단위] 명 한국 돈, 한국 화폐

换 huàn 동 바꾸다, 교체하다

套间 tàojiān 명 스위트룸

稍 shāo 부 약간, 잠시

等 děng 동 기다리다

看 kàn 동 보다

一下 yíxià 양 시험 삼아 해 보다, 좀 ~하다

## 응용표현 더하기

Track 01-04

● 请稍等一下。
Qǐng shāo děng yíxià.
잠시만 기다리십시오.

● 让你久等了。
Ràng nǐ jiǔ děngle.
오랫동안 기다리셨습니다.

● 你要预订房间吗?
Nǐ yào yùdìng fángjiān ma?
방을 예약하시겠습니까?

● 这是您的房卡。
Zhè shì nín de fángkǎ.
이것은 당신의 객실 카드 키입니다.

## ╋ 플러스 단어

Track 01-05

住宿 zhùsù 숙박하다

订房 dìng fáng 방을 예약하다

客房 kèfáng 객실

标准间 biāozhǔnjiān 더블베드룸

豪华间 háohuájiān 디럭스룸

房费 fángfèi 숙박료

房卡 fángkǎ 객실 카드 키

前台 qiántái 프런트

电话 diànhuà 전화

传真 chuánzhēn 팩스

伊妹儿 yīmèir 이메일

因特网 yīntèwǎng 인터넷

## 어법 파헤치기

### 1 동태조사 了

'了'는 동사 뒤에 쓰여 동작의 실현이나 완료를 나타냅니다. 우리말의 '~했다'에 해당합니다.

**您预订了吗?** 예약하셨나요?
Nín yùdìngle ma?

**我吃了早饭。** 저는 아침 식사를 했습니다.
Wǒ chīle zǎofàn.

**我看了很多资料。** 저는 많은 자료를 보았습니다.
Wǒ kànle hěn duō zīliào.

### 2 의문조사 吗

주어진 내용에 대한 청자의 판단을 물을 때는 우리말의 '~입니까?'에 해당하는 의문조사 '吗'를 평서문 뒤에 붙여 의문문을 만듭니다.

**有海景房。** 오션뷰 방이 있어요. → **有海景房吗?** 오션뷰 방이 있나요?
Yǒu hǎijǐng fáng.　　　　　　　　　　　Yǒu hǎijǐng fáng ma?

**她明天来。** 그녀는 내일 옵니다. → **她明天来吗?** 그녀는 내일 옵니까?
Tā míngtiān lái.　　　　　　　　　　　 Tā míngtiān lái ma?

**这是服务台。** 여기는 프런트입니다. → **这是服务台吗?** 여기가 프런트입니까?
Zhè shì fúwùtái.　　　　　　　　　　　 Zhè shì fúwùtái ma?

## 3 숫자 읽는 법

중국어로 숫자를 읽는 방법은 아래와 같습니다.

| 0 | 1 | 2 | 3 | 4 | 5 | 6 | 7 | 8 | 9 | 10 |
|---|---|---|---|---|---|---|---|---|---|---|
| 零 | 一 | 二 | 三 | 四 | 五 | 六 | 七 | 八 | 九 | 十 |
| líng | yī | èr | sān | sì | wǔ | liù | qī | bā | jiǔ | shí |

| 11 | 12 | 20 | 30 | 40 | 50 | 60 | 70 | 80 | 90 | 99 |
|---|---|---|---|---|---|---|---|---|---|---|
| 十一 | 十二 | 二十 | 三十 | 四十 | 五十 | 六十 | 七十 | 八十 | 九十 | 九十九 |
| shíyī | shí'èr | èrshí | sānshí | sìshí | wǔshí | liùshí | qīshí | bāshí | jiǔshí | jiǔshíjiǔ |

백, 천, 만의 단위가 1로 시작할 경우, 반드시 '一 yī'를 앞에 붙입니다.

| 100 | 1,000 | 10,000 | 100,000,000 | 170 | 1,700 | 17,000 |
|---|---|---|---|---|---|---|
| 一百 | 一千 | 一万 | 一亿 | 一百七十 | 一千七百 | 一万七千 |
| yìbǎi | yìqiān | yíwàn | yíyì | yìbǎi qīshí | yìqiān qībǎi | yíwàn qīqiān |

숫자 2가 양사 앞에 쓰일 때는 '二' 대신 '两 liǎng'을 씁니다.

**两个**  두 개
liǎng ge

**两个人**  두 명
liǎng ge rén

## 4 조동사 可以

조동사는 동사 앞에서 화자의 의지·소망·능력·당위 등을 나타냅니다. 조동사 '可以'는 가능·능력·허가 등을 나타내는데 우리말의 '~할 수 있다' '~해도 좋다'에 해당합니다. 가능을 나타내는 조동사는 '可以' 이외에도 '会 huì' '能 néng' 등이 있습니다.

**可以加床吗?**  침대를 추가할 수 있나요?
Kěyǐ jiā chuáng ma?

**我可以确认吗?**  제가 확인할 수 있나요?
Wǒ kěyǐ quèrèn ma?

**可以预订房间吗?**  방을 예약할 수 있나요?
Kěyǐ yùdìng fángjiān ma?

1 녹음을 듣고 그림에 맞게 A, B, C를 써 넣으세요. ◉ Track 01-06

(1)
(      )

(2)
(         )

(3)
(         )

2 녹음을 듣고 내용과 일치하면 ○, 일치하지 않으면 ✕를 표시해 보세요. ◉ Track 01-07

(1) 预订了。 (         )

(2) 需要加五万韩币。 (         )

(3) 三个人，可以加床。 (         )

(4) 有海景房。 (         )

3 빈칸에 들어갈 말을 골라 문장을 완성해 보세요.

的　　叫　　了　　可以

(1) 您预订_____吗?

(2) 请出示您_____护照。

(3) _____加床吗?

(4) 我_____王莉。

4 다음 문장을 중국어로 바꿔 보세요.

(1) 어서 오세요!

→ _____

(2) 스위트룸으로 바꿀 수 있나요?

→ _____

(3) 잠시만 기다려 주십시오.

→ _____

(4) 확인해 보겠습니다.

→ _____


5 다음 그림을 보고 자유롭게 대화를 완성해 보세요.

(1)

A: 有海景房吗?

B: _____

(2)

A: 可以加床吗?

B: _____

# 활동 수행하기

🗺 지도 들여다보기

지도를 보고 서울에 있는 주요 호텔의 위치와 중국어 명칭을 알아봅시다.

## 중국어로 말해 보기

🔘 Track 01-08

❶ 포시즌스 호텔 서울 首尔四季酒店
Shǒu'ěr Sìjì Jiǔdiàn

❷ 롯데호텔서울 乐天酒店首尔
Lètiān Jiǔdiàn Shǒu'ěr

❸ 서울 웨스틴조선호텔 首尔威斯汀朝鲜酒店
Shǒu'ěr Wēisītīng Cháoxiān Jiǔdiàn

❹ 서울신라호텔 首尔新罗酒店
Shǒu'ěr Xīnluó Jiǔdiàn

❺ 콘래드 서울 康莱德酒店 Kānglàidé Jiǔdiàn

❻ 노보텔 앰배서더 서울 강남 首尔江南诺富特大使酒店 Shǒu'ěr Jiāngnán Nuòfùtè Dàshǐ Jiǔdiàn

❼ 임피리얼 팰리스 서울 首尔皇宫酒店
Shǒu'ěr Huánggōng Jiǔdiàn

❽ 인터컨티넨탈 서울 코엑스 首尔COEX洲际酒店
Shǒu'ěr COEX Zhōují Jiǔdiàn

❾ 파크 하얏트 서울 首尔柏悦酒店
Shǒu'ěr Bóyuè Jiǔdiàn

❿ 그랜드 워커힐 서울 首尔华克山庄酒店
Shǒu'ěr Huákèshānzhuāng Jiǔdiàn

## 다 함께 알아보기

조별로 다음 질문에 답해 봅시다. 제시된 지도를 활용해도 좋습니다.

1 서울에 있는 5성급 호텔 5개를 알아봅시다.

2 위의 호텔 중에서 하나를 선정하여 소개해 봅시다.

3 이색적이거나 유서 깊은 호텔 등 세계의 유명한 호텔 5개를 알아봅시다.

# 체크인

### 프런트 체크인

예약을 한 고객이 호텔에 도착하면 프런트 직원이 인사를 하고 고객의 인적 사항을 요구하는 등록 카드를 접수한 후 정해진 객실로 안내하기까지의 모든 행위를 **체크인**이라고 합니다.

정보화가 빠르게 진행되는 요즘은 모바일 체크인도 많지만, 전통적인 호텔 체크인 방법은 다음과 같습니다. 호텔 프런트에 예약자의 이름을 말하면 확인을 거친 후 관련 서류를 작성하는데 여기에 이름, 국적, 주소, 여권 번호 등을 기입합니다. 아직 결제를 하지 않은 경우라면 호텔비 지불을 보장 받기 위해 신용카드를 제시해 달라고 요구하기도 합니다. 접수가 끝나면 배정된 객실을 안내 받습니다.

### 셀프 체크인

IT의 발달로 자동화, 무인화에 대한 관심이 높아졌으며 키오스크의 활용 범위가 공항, 주유소, 병원, 영화관, 지하철, 식당 등으로 확대되어 이미 일상생활에서도 보편적으로 쓰이고 있습니다.

이러한 사회 트렌드에 맞춰 **키오스크를 도입한 호텔이 늘고 있습니다.** 젊고 스마트한 호텔들은 키오스크나 스마트폰 애플리케이션으로 체크인과 도어록 개폐, 결제까지 가능한 시스템을 도입하여 프런트 체크인을 대신하고 있습니다. 셀프 체크인 시스템을 도입함으로써 서비스 품질을 높이고 호텔 이미지도 향상시키면서 인건비 또한 절감하는 효과를 얻고 있습니다.

# 어메니티

호텔 객실에는 물이나 차, 화장품, 전자제품 등 각종 생활용품들이 준비되어 있습니다. 이 생활용품들은 호텔에 머무르는 동안 쾌적함을 느끼게 해 준다는 의미에서 '어메니티 (amenity)'라고 총칭합니다. 왕실 화장품인 몰튼 브라운이나 록시땅, 준 제이콥스, 이솝 등 명품 화장품을 어메니티로 제공하는 곳도 있어서 이를 수집하는 고객들에게는 어메니티가 호텔을 고르는 또 하나의 기준이 되기도 하며 어메니티를 통해 호텔의 수준을 알 수 있기도 합니다.

어메니티에는 가져가도 되는 것과 가져가면 안 되는 것이 있습니다. 잘못 가져갔다가 곤란해 질 수 있는 대표적인 품목은 헤어 드라이어, 목욕 가운, 수건입니다. 고급 호텔일수록 다양한 크기의 수건이 구비되어 있는데, 객실마다 수건의 개수도 확인하고 있으니 가져갈 생각은 하지 않는 게 좋습니다. 고객이 체크아웃을 한 뒤에 객실 내 물건이 없어진 것을 발견하면 체크인할 때 결제한 신용카드로 해당 금액을 청구하기도 합니다.

대신 객실에서 가져가도 되는 물건을 기억하세요. 욕실에 있는 일회용 생활용품은 모두 가져가도 됩니다. 주로 세면대 주위에 비치된 작은 용량의 바디로션, 비누, 칫솔, 치약, 면도기, 빗, 면봉, 샤워캡 등과 욕실에 있는 샴푸, 컨디셔너, 바디워시가 포함됩니다. 미니바 목록에 상품명과 가격이 적혀 있는 것은 모두 유료 제품으로 보면 됩니다.

일회용 객실 슬리퍼도 가져갈 수 있습니다. 고급 호텔일수록 한 번만 쓰고 버리기에는 아까운 고급 제품이 준비된 경우가 많아 비행기 안에서 사용하면 매우 유용합니다. 연필, 볼펜 등 필기도구도 가져갈 수 있습니다.

## 欢迎
huānyíng
환영하다

欢 迎

フ ヌ ヌ ヌ 欢 欢
´ ㄣ ㄇ ㄸ ㄸ 迎 迎

## 预订
yùdìng
예약하다

预 订

フ ㄱ ㄱ 予 予 产 预 预 预 预
` ㄧ ㄧ 订 订

## 出示
chūshì
제시하다

出 示

L L 屮 出 出
一 二 亍 示 示

## 护照
hùzhào
여권

护 照

一 十 扌 扩 护 护 护
I 冂 冂 日 日 町 昭 昭 昭 照 照 照 照

## 海景
hǎijǐng
오션뷰

海 景

` ` 氵 氵 汇 汇 海 海 海 海
I 冂 曰 旦 早 昌 昙 昙 景 景 景 景

## 套间
tàojiān
스위트룸

套 间

一 ナ 大 本 杏 杏 奉 套 套 套
` 冂 门 闩 间 间 间

# KTX 기차표 예약하는 것을 도와주실 수 있나요?

## 可以帮我预订KTX火车票吗?

### 회화 **1** 조식 문의

● Track 02-01

**A** 早餐在哪儿吃?

Zǎocān zài nǎr chī?

**B** 在一楼，早餐时间是从七点到九点。

Zài yì lóu, zǎocān shíjiān shì cóng qī diǎn dào jiǔ diǎn.

**A** 能告诉我韩餐馆的营业时间吗?

Néng gàosu wǒ háncānguǎn de yíngyè shíjiān ma?

**B** 从中午到晚上都营业。

Cóng zhōngwǔ dào wǎnshang dōu yíngyè.

# 2 기차표 예매

**Track 02-02**

A 你好，可以帮我预订KTX火车票吗？
Nǐ hǎo, kěyǐ bāng wǒ yùdìng KTX huǒchē piào ma?

B 可以，你们要预订哪天的？
Kěyǐ, nǐmen yào yùdìng nǎ tiān de?

A 后天去江陵的三张。
Hòutiān qù Jiānglíng de sān zhāng.

B 好的。
Hǎo de.

CHAPTER 02 ● **029**

# 새 단어 익히기

Track 02-03

早餐 zǎocān 명 조식, 아침 식사

在 zài 개 ~에서

哪儿 nǎr 대 어디, 어느 곳

吃 chī 동 먹다

楼 lóu 명 층, 건물

时间 shíjiān 명 시간

是 shì 동 ~이다

从……到…… cóng……dào……
~부터 ~까지

点 diǎn 양 시[시각을 나타냄]

能 néng 조동 ~할 수 있다

告诉 gàosù 동 알리다, 말하다

韩餐馆 háncānguǎn 명 한식당

营业 yíngyè 동 영업하다

中午 zhōngwǔ 명 점심, 정오, 낮 12시 전후

晚上 wǎnshang 명 저녁, 밤

都 dōu 부 모두, 다, 전부

你 nǐ 대 너, 당신

好 hǎo 형 안녕하다, 좋다

帮 bāng 동 돕다, 거들다

火车 huǒchē 명 기차, 열차

票 piào 명 표, 티켓

你们 nǐmen 대 너희, 당신들

要 yào 조동 ~하려고 하다, ~할 것이다

哪 nǎ 대 어느

天 tiān 양 날, 일

后天 hòutiān 명 모레

去 qù 동 가다

江陵 Jiānglíng 고유 강릉[지명]

张 zhāng 양 장[종이를 세는 단위]

⦿ Track 02-04

• 您喝什么?
Nín hē shénme?
무엇을 마시겠습니까?

• 您喜欢吃什么?
Nín xǐhuan chī shénme?
무엇을 먹는 걸 좋아하십니까?

• 买票了吗?
Mǎi piào le ma?
표를 샀나요?

• 我们几点出发?
Wǒmen jǐ diǎn chūfā?
저희 몇 시에 출발해요?

## ┿플러스 단어

⦿ Track 02-05

饮料 yǐnliào 음료수

咖啡 kāfēi 커피

茶 chá 차

酸奶 suānnǎi 요구르트

轿车 jiàochē 승용차

面包车 miànbāochē 승합차

出租车 chūzūchē 택시

公共汽车 gōnggòng qìchē 버스

今天 jīntiān 오늘

明天 míngtiān 내일

昨天 zuótiān 어제

前天 qiántiān 그저께

## 1 개사 在

개사는 목적어와 함께 개사구를 만들고 문장 속에서 장소·시간·원인·대상 등을 나타내는 역할을 합니다. 개사 '在'는 '~에서'라는 의미로 '在＋장소 명사'의 형식으로 쓰여 문장 속에서 장소를 나타냅니다.

**早餐在哪儿吃?** 조식은 어디에서 먹나요?
Zǎocān zài nǎr chī?

**晚餐在一楼吃。** 저녁 식사는 1층에서 합니다.
Wǎncān zài yì lóu chī.

**我在火车站买票。** 저는 기차역에서 표를 삽니다.
Wǒ zài huǒchēzhàn mǎi piào.

## 2 从……到……

'从……到……'는 공간·시간·행위 등의 범위를 나타내며, 우리말의 '~부터 ~까지' '~에서 ~까지'에 해당합니다.

**从中午到晚上都营业。** 점심부터 저녁까지 모두 영업합니다.
Cóng zhōngwǔ dào wǎnshang dōu yíngyè.

**早餐时间是从七点到九点。** 조식 시간은 7시부터 9시까지입니다.
Zǎocān shíjiān shì cóng qī diǎn dào jiǔ diǎn.

**卖票时间是从九点到十二点。** 표를 파는 시간은 9시부터 12시까지입니다.
Mài piào shíjiān shì cóng jiǔ diǎn dào shí'èr diǎn.

## 3 시간 읽는 법

중국어에서는 시간을 주로 '点 diǎn 시' '分 fēn 분' '秒 miǎo 초'로 표현합니다. 단, 2시는 '二点'이 아닌 '两点'이라고 합니다.

8:00 **八点** bā diǎn

8:05 **八点五分** bā diǎn wǔ fēn
**八点零五分** bā diǎn líng wǔ fēn    *零 líng 0(10분 미만의 숫자 앞에 붙임)

| 8:15 | 八点十五分 bā diǎn shíwǔ fēn | |
| | 八点一刻 bā diǎn yí kè | *刻 kè 15분 |
| 8:30 | 八点三十分 bā diǎn sānshí fēn | |
| | 八点半 bā diǎn bàn | *半 bàn 30분, 절반 |
| 8:45 | 八点四十五分 bā diǎn sìshíwǔ fēn | |
| | 八点三刻 bā diǎn sān kè | |
| 8:55 | 八点五十五分 bā diǎn wǔshíwǔ fēn | |
| | 差五分九点 chà wǔ fēn jiǔ diǎn | *差 chà 모자라다 |

## 4 양사 张

사람이나 사물의 수량을 세는 단위를 양사라고 합니다. 일반적으로 수사와 명사 사이에는 양사가 필요합니다. 그중 양사 '张'은 종이 등 넓고 평평한 사물을 셀 때 씁니다.

**后天去江陵的三张。** 모레 강릉 가는 것 3장이요.
Hòutiān qù Jiānglíng de sān zhāng.

**给我一张纸。** 저에게 종이 한 장을 주세요.
Gěi wǒ yì zhāng zhǐ.

**我要买一张床。** 저는 침대 하나를 사려고 합니다.
Wǒ yào mǎi yì zhāng chuáng.

### 자주 쓰이는 양사

| 양사 | 뜻 | | 양사 | 뜻 |
|------|-----|--|------|-----|
| **个** gè 명, 개 | 사람이나 사물을 세는 양사 | | **辆** liàng 대 | 차량을 세는 양사 |
| **位** wèi 분 | 존경의 의미를 담아 사람을 세는 양사 | | **套** tào 세트 | 세트를 세는 양사 |
| **瓶** píng 병 | 병을 세는 양사 | | **本** běn 권 | 책을 세는 양사 |
| **杯** bēi 잔 | 잔을 세는 양사 | | **件** jiàn 건, 벌 | 일, 사건, 개체를 세는 양사 |

# 실력 향상하기

## 1

녹음을 듣고 그림에 맞게 A, B, C를 써 넣으세요. ● Track 02-06

(1)
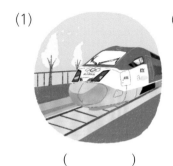
(                    )

(2)

(                    )

(3)

(                    )

## 2

녹음을 듣고 내용과 일치하면 ○, 일치하지 않으면 ✕를 표시해 보세요. ● Track 02-07

(1) 早餐在江陵吃。 (          )

(2) 请告诉我韩餐馆的营业时间。 (          )

(3) 从中午到晚上都营业。 (          )

(4) 晚上去韩餐馆。 (          )

## 3

빈칸에 들어갈 말을 골라 문장을 완성해 보세요.

张　　在　　要　　吗

(1) 早餐＿＿＿＿＿哪儿吃?

(2) 你们＿＿＿＿＿预订哪天的?

(3) 后天去江陵的三＿＿＿＿＿。

(4) 可以帮我预订KTX火车票＿＿＿＿＿?

## 4 다음 문장을 중국어로 바꿔 보세요.

(1) 조식 시간은 7시부터 9시까지입니다.

→ _____

(2) 1층에서요.

→ _____

(3) 모레 강릉 가는 것 3장이요.

→ _____

(4) 영업 시간을 알려 주실 수 있나요?

→ _____


## 5 다음 그림을 보고 자유롭게 대화를 완성해 보세요.

(1)

A: 早餐在哪儿吃?

B: _____

(2)

A: 后天你去哪儿?

B: _____

## 지도 들여다보기

지도를 보고 서울에 있는 주요 관광지의 위치와 중국어 명칭을 알아봅시다.

## 중국어로 말해 보기

● Track 02-08

❶ 북한산국립공원 北汉山国立公园
Běihànshān Guólì Gōngyuán

❷ 경복궁 景福宫 Jǐngfú Gōng

❸ 광화문 光化门 Guānghuà Mén

❹ 인사동 仁寺洞 Rénsì Dòng

❺ 광장시장 广藏市场 Guǎngcáng Shìchǎng

❻ 명동 明洞 Míng Dòng

❼ 홍대입구역 弘大入口站 Hóngdà Rùkǒu Zhàn

❽ 이태원 梨泰院 Lítàiyuàn

❾ 압구정로데오거리 狎鸥亭罗德奥街
Xiá'ōutíng Luódé'ào Jiē

❿ 강남역 江南站 Jiāngnán Zhàn

## 다 함께 알아보기

조별로 다음 질문에 답해 봅시다. 제시된 지도를 활용해도 좋습니다.

1 호텔에서 제공하는 컨시어지 서비스에는 무엇이 있는지 알아봅시다.

2 서울 시내 1일 관광을 계획해 봅시다.

3 KTX를 타고 갈 수 있는 관광지를 알아봅시다.

# 컨시어지

보통 특급 호텔 로비에 가면 컨시어지 데스크를 발견할 수 있습니다. 컨시어지는 호텔 투숙객을 위해 개인 비서 같은 역할을 수행하는 서비스이지만, 인건비 문제로 점차 기능이 축소되거나 온라인 서비스 위주로 변화하고 있는 추세입니다.

## 온라인 컨시어지 서비스

온라인 컨시어지 서비스는 애플리케이션 등을 통해 **여행에 필요한 모든 정보와 1:1 채팅 서비스를 제공하는 것**을 말합니다. 호텔을 찾아가는 방법, 호텔 편의시설, 날씨, 환율, 교통 수단 등 기본적인 정보가 다국어로 제공되는 것은 물론 그 밖에 가까운 맛집, 관광지, 병원 등의 위치 정보를 제공하고, 투어, 액티비티 상품을 소개하기도 하며, 픽업 서비스를 안내 받을 수도 있습니다. 나아가 1:1 채팅 서비스를 통해 필요한 정보를 구체적으로 얻을 수 있으며, 채팅 프로그램에 탑재된 삼성페이, 알리페이, 비자카드, 마스터카드 등 결제 시스템을 통해 예약과 결제까지 가능합니다. 호텔별로 맞춤 제작한 '스마트 가이드북'의 링크를 이메일이나 스마트폰으로 보내 주기도 합니다.

## 베테랑 컨시어지의 상징, 레끌레도어

호텔리어의 유니폼 상의를 주의 깊게 보면 다양한 배지를 볼 수 있습니다. 구사할 수 있는 언어를 나타내는 국기 모양의 배지를 단 경우도 있고, 호텔 서비스 관련 협회의 인증을 받은 배지도 있습니다. 그중 두 개의 황금열쇠가 교차된 모양인 '레끌레도어(Les Clefs d'Or)' 배지는 세계컨시어지협회의 심사를 통과한 베테랑 컨시어지임을 나타냅니다.

세계컨시어지협회 정회원이 달고 있는 레끌레도어 배지는 호텔 근무 경력이 5년 이상이고 컨시어지 근무 경력이 3년 이상인 호텔리어가 심사 대상이 되고 엄격한 심사를 통과해야만 취득할 수 있습니다.

# 호텔 조식

호텔을 방문하는 이유 중 하나는 'B&B(Bed&Breakfast)'를 즐기기 위해서입니다. 그래서 호텔을 고를 때 객실의 수준만큼 조식의 수준을 중요시하는 사람들이 많습니다. 호텔에서 이용할 수 있는 조식의 종류는 다음과 같습니다.

## 조식 뷔페

최근 대형 호텔을 중심으로 **뷔페 형식의 조식**을 도입하는 곳이 늘고 있습니다. 조식 이용 시간은 대부분 오전 6시부터 10시 정도까지입니다. 주말에는 보통 오전 8시 30분 전후로 투숙객이 몰려오므로 여유롭게 조식을 즐기려면 늦어도 **오전 7시 30분 전에 방문할 것을** 권합니다.

### 유럽식 조식
### (Continental Breakfast)

따뜻한 음식이 거의 없는 세트 메뉴를 말합니다. 롤빵이나 크루아상과 함께 커피, 홍차 등이 제공됩니다.

### 미국식 조식
### (American Breakfast)

유럽풍 조식에 익혀서 조리된 음식이 추가된 것을 말합니다. 계란과 베이컨 또는 비엔나 소시지 등의 고기가 제공되는 것이 일반적이며 빵은 토스트 외에 팬케이크, 와플, 프렌치토스트 등에서 선택할 수 있는 경우도 있습니다.

## 룸서비스

객실로 식사를 가져다주는 서비스를 말합니다. 식당에 가기 위해 화장을 하거나 옷을 갈아입는 등 준비하는 것이 귀찮은 투숙객, 방에서 느긋하게 식사를 하고 싶은 투숙객, 어린이를 동반한 투숙객 등에게 추천하는 방식입니다. 일반적으로 기본 조식 요금보다 가격대가 높습니다.

早餐
zǎocān
조식

早 餐

丨 冂 日 旦 早

丶 丷 ㇒ 夕 歺 夗 夗 夜 炗 炗 炗 焱 餐 餐 餐

告诉
gàosù
알리다

告 诉

丿 ㇒ 牛 生 告 告 告

丶 讠 订 讦 诉 诉 诉

营业
yíngyè
영업하다

营 业

一 ㇒ 艹 艹 艹 艹 营 营 营 营 营

丨 丨丨 丨丨丨 业 业

晚上
wǎnshang
저녁

晚 上

丨 冂 日 日 旷 旷 昭 昭 晚 晚 晚

丨 十 上

火车
huǒchē
기차

火 车

丶 ㇀ 少 火

一 ㇀ 卞 车

江陵
Jiānglíng
강릉

江 陵

丶 丶 氵 汀 江 江

㇇ ㇖ ㇐ 阡 阧 萨 陔 陵 陵 陵 陵

듣자 하니 홍대에
거리 공연이 많다고 합니다.
听说弘大有很多街头演出。

# 1 삼청동과 북촌 한옥마을

● Track 03-01

A 这一带是三清洞和北村韩屋村。
Zhè yídài shì Sānqīng Dòng hé Běicūn Hánwūcūn.

B 三清洞有很多精品店和咖啡厅。
Sānqīng Dòng yǒu hěn duō jīngpǐndiàn hé kāfēitīng.

A 北村有很多朝鲜时代的建筑。
Běicūn yǒu hěn duō Cháoxiǎn shídài de jiànzhù.

B 这里真是徒步观光的好地方。
Zhèli zhēn shì túbù guānguāng de hǎo dìfang.

## 회화 **2** 홍대 거리 공연

**A** 听说弘大有很多街头演出。
Tīngshuō Hóngdà yǒu hěn duō jiētóu yǎnchū.

**B** 表演水平怎么样?
Biǎoyǎn shuǐpíng zěnmeyàng?

**A** 很高的! 有些人还被星探选中了呢。
Hěn gāo de! Yǒuxiē rén hái bèi xīngtàn xuǎnzhòng le ne.

**B** 是吗? 今晚一定要去看看。
Shì ma? Jīnwǎn yídìng yào qù kànkan.

# 새 단어 익히기

这 zhè 대 이, 이것

一带 yídài 명 일대

三清洞 Sānqīng Dòng
고유 삼청동[서울시 종로구 소재]

和 hé 접 ~와

北村 Běicūn 고유 북촌[서울시 종로구 소재]

韩屋村 hánwūcūn 한옥마을

很 hěn 부 아주, 매우

多 duō 형 많다

精品店 jīngpǐndiàn 명 부티크, 명품 매장

咖啡厅 kāfēitīng 명 카페, 커피숍

朝鲜 Cháoxiǎn 고유 조선

时代 shídài 명 (역사상의) 시대, 시기

建筑 jiànzhù 명 건축물

这里 zhèlǐ 대 이곳, 여기

真 zhēn 부 정말, 실로

徒步 túbù 부 도보로, 걸어서

观光 guānguāng
동 관광하다, 참관하다, 견학하다

地方 dìfang 명 곳, 장소

听说 tīngshuō 동 듣자 하니, 듣건대

弘大 Hóngdà 고유 홍대[서울시 마포구 소재의 대학교. 보통 홍익대학교를 중심으로 한 상권 일대를 가리킴]

街头演出 jiētóu yǎnchū 명 거리 공연

表演 biǎoyǎn 동 공연하다, 연기하다

水平 shuǐpíng 명 수준

怎么样 zěnmeyàng 대 어떠한가

高 gāo 형 높다

有些 yǒuxiē 대 일부, 어떤

还 hái 부 또한, 여전히, 아직

被 bèi 개 ~에게 ~를 당하다

星探 xīngtàn
명 연예 매니지먼트, 연예인 발굴 업자

选中 xuǎnzhòng 동 선택하다, 뽑다, 발탁하다

呢 ne
조 [문장 끝에 쓰어 사실을 확인하는 어기를 나타냄]

今晚 jīnwǎn 명 오늘 저녁, 오늘 밤

一定 yídìng 부 꼭, 반드시

- 你的爱好是什么?

  Nǐ de àihào shì shénme?

  당신의 취미는 무엇인가요?

- 我喜欢欣赏音乐。

  Wǒ xǐhuan xīnshǎng yīnyuè.

  저는 음악 감상을 좋아합니다.

- 你会跳舞吗?

  Nǐ huì tiàowǔ ma?

  춤출 줄 알아요?

- 你会唱韩国歌吗?

  Nǐ huì chàng Hánguó gē ma?

  한국 노래 부를 줄 알아요?

## ✛플러스 단어

入境卡 rùjìngkǎ 입국신고서

签证 qiānzhèng 비자

国籍 guójí 국적

性别 xìngbié 성별

职业 zhíyè 직업

目的地 mùdìdì 목적지

机场大巴 jīchǎng dàbā 공항버스

旅行社 lǚxíngshè 여행사

导游 dǎoyóu 가이드

景点 jǐngdiǎn 명소

市区 shìqū 시내, 시가지

日程表 rìchéngbiǎo 일정표

# 어법 파헤치기

## 1 지시대사 这

지시대사 '这'는 가까이 있는 사람이나 사물을 가리킵니다. 비교적 멀리 있는 것을 가리킬 때는 '那 nà'를 사용합니다.

**这一带是三清洞和北村韩屋村。** 이 일대는 삼청동과 북촌 한옥마을입니다.
Zhè yídài shì Sānqīng Dòng hé Běicūn Hánwūcūn.

**这地方真好啊。** 여기 참 좋네요.
Zhè dìfang zhēn hǎo a.

**那孩子很聪明。** 그 아이는 매우 똑똑합니다.
Nà háizi hěn cōngmíng.

| 구분 | 가까운 것 | 먼 것 |
|------|-----------|-------|
| 사물 | 这 zhè 이, 이것<br>这个 zhège 이, 이것 | 那 nà 그, 그것, 저, 저것<br>那个 nàge 그, 그것, 저, 저것 |
| 장소 | 这里 zhèli 이곳, 여기<br>这儿 zhèr 이곳, 여기 | 那里 nàli 그곳, 저곳<br>那儿 nàr 그곳, 저곳 |

## 2 동사 听说

동사 '听说'는 우리말의 '듣자 하니' '듣건대'라는 뜻으로, 다른 사람에게서 들은 말을 전할 때 사용합니다.

**听说弘大有很多街头演出。** 듣자 하니 홍대에 거리 공연이 많다고 합니다.
Tīngshuō Hóngdà yǒu hěn duō jiētóu yǎnchū.

**听说他们的表演水平很高！** 듣건대 그들의 공연 수준이 상당하다던데요!
Tīngshuō tāmen de biǎoyǎn shuǐpíng hěn gāo!

**听说他被星探选中了。** 듣자 하니 그는 연예 매니지먼트에 캐스팅되었다고 합니다.
Tīngshuō tā bèi xīngtàn xuǎnzhòng le.

## 3 被자문

개사 '被'를 사용하여 피동의 의미를 나타내는 문장을 '被자문'이라고 합니다. 이때 주어는 동작을 당하는 대상이고 '被' 뒤의 목적어가 동작을 행하는 주체가 됩니다. '(주어)가 (목적어)에게 ~를 당하다'라는 의미로 해석됩니다.

**有些人还被星探选中了呢。** 어떤 사람들은 연예 매니지먼트에 캐스팅되기도 합니다.
Yǒuxiē rén hái bèi xīngtàn xuǎnzhòng le ne.

**我被老师批评了。** 나는 선생님께 꾸중을 들었습니다.
Wǒ bèi lǎoshī pīpíng le.

**我的手机被小偷偷了。** 제 휴대폰을 소매치기에게 도둑맞았습니다.
Wǒ de shǒujī bèi xiǎotōu tōu le.

## 4 동사 중첩

일부 동사를 중첩하면 가벼운 어기를 나타내어 우리말의 '좀 ~해 보다' '한번 ~해 보다'라는 뜻이 됩니다. 1음절 동사는 'AA', 또는 'A一A' 형식으로 중첩하는데 이때 '一'는 경성으로 발음합니다.

**今晚一定要去看看。** 오늘 저녁에 꼭 보러 가야겠네요.
Jīnwǎn yídìng yào qù kànkan.

**你尝尝这个菜。** 이 요리 좀 맛보세요.
Nǐ chángchang zhège cài.

**你听一听这首流行歌曲。** 이 유행가 좀 들어 보세요.
Nǐ tīng yi tīng zhè shǒu liúxíng gēqǔ.

# 실력 향상하기

**1** 녹음을 듣고 그림에 맞게 A, B, C를 써 넣으세요. 🔘 Track 03-06

(1) (       )  (2) (       )  (3) (       )

**2** 녹음을 듣고 내용과 일치하면 O, 일치하지 않으면 ×를 표시해 보세요. 🔘 Track 03-07

(1) 北村有很多朝鲜时代的建筑。  (       )

(2) 表演水平很高。  (       )

(3) 三清洞有很多精品店。  (       )

(4) 三清洞真是徒步观光的好地方。  (       )

**3** 빈칸에 들어갈 말을 골라 문장을 완성해 보세요.

被　和　听说　这里

(1) 三清洞有很多精品店＿＿＿＿＿＿咖啡厅。

(2) ＿＿＿＿＿＿真是徒步观光的好地方。

(3) 有些人还＿＿＿＿＿＿星探选中了呢。

(4) ＿＿＿＿＿＿弘大有很多街头演出。

4 다음 문장을 중국어로 바꿔 보세요.

(1) 삼청동에는 카페가 많습니다.

→ _____

(2) 공연 수준이 어떤가요?

→ _____

(3) 오늘 저녁에 꼭 보러 가야겠네요.

→ _____

(4) 이 일대는 삼청동과 북촌 한옥마을입니다.

→ _____


5 다음 그림을 보고 자유롭게 대화를 완성해 보세요.

(1)

A: 他们(tāmen, 그들)的表演水平怎么样?

B: _____

(2)

A: 这是什么(shénme, 어떤)时代的建筑?

B: _____

# 활동 수행하기

🗺️ 지도 들여다보기

지도를 보고 삼청동 주변에 있는 주요 관광지의 위치와 중국어 명칭을 알아봅시다.

**중국어로 말해 보기**

🔊 Track 03-08

❶ 삼청동 문화 거리
三清洞文化街
Sānqīng Dòng Wénhuà Jiē

❷ 북촌 한옥마을
北村韩屋村
Běicūn Hánwūcūn

❸ 창덕궁 昌德宫
Chāngdé Gōng

❹ 국립민속박물관
国立民俗博物馆
Guólì Mínsú Bówùguǎn

❺ 정독도서관
正读图书馆
Zhèngdú Túshūguǎn

❻ 창경궁 昌庆宫
Chāngqìng Gōng

❼ 국립현대미술관 서울
国立现代美术馆首尔馆
Guólì Xiàndài Měishùguǎn
Shǒu'ěr Guǎn

❽ 북촌 한옥체험관
北村韩屋体验馆
Běicūn Hánwū Tǐyànguǎn

❾ 안국역 安国站
Ānguó Zhàn

## 다 함께 알아보기

조별로 다음 질문에 답해 봅시다.

**1** 삼청동에 대해 알아봅시다.

**2** 북촌 한옥마을에 대해 알아봅시다.

**3** 홍대의 거리 공연 문화에 대해 알아봅시다.

# 서울 도심 속
# 한옥

한국 전통 가옥인 한옥은 그 모습이 자연을 닮아 지금까지도 사랑 받는 문화유산입니다. 한옥을 이루고 있는 나무와 흙, 돌, 볏짚 등이 자아내는 자연적인 아름다움은 한국인뿐만 아니라 외국인 관광객의 눈길까지도 사로잡고 있습니다.

## 북촌 한옥마을

북촌 한옥마을은 서울에서 가장 유명한 한옥마을입니다. 복잡한 도심에서 잠시 벗어나 한옥이 주는 고즈넉함과 여유를 즐길 수 있어 많은 사랑을 받고 있습니다. 하지만 관광객이 늘면서 이곳에서 생활하는 주민들이 불편을 겪고 있어 책방, 문화원, 염색 공방, 직물 공방 등 관광객들이 다양한 체험을 할 수 있는 공공 한옥이 생기고 있습니다.

## 남산골 한옥마을

남산골 한옥마을은 조선시대에 한양에 있던 한옥 다섯 채를 남산 기슭으로 옮겨 꾸민 곳입니다. 이곳에서는 각양각색의 볼거리와 먹거리를 즐길 수 있습니다. 매달 국악회, 국악 뮤지컬, 연극, 음악회 등 다양한 공연이 열리고 '남산골 밤마실' '남산골 야시장' 등의 행사와 각종 전통 체험 프로그램에 참여할 수 있으며 전통 혼례가 열리기도 하니 몇 번을 다시 찾아도 지루하지 않은 문화 체험 공간입니다.

## 익선동 한옥마을

익선동 한옥마을은 사실 마을보다는 '거리'라는 이름이 더 잘 어울리는 곳입니다. 이곳은 북촌 한옥마을보다 이른 1920년대에 조성되었습니다. 최근 한옥을 개조한 특색 있는 공간이 많아지면서 북촌과는 또 다른 매력이 있는 젊음의 거리로 부상하였습니다.

# 문화와 젊음이 함께하는
# 홍대 일대

지하철 2호선과 공항철도, 경의중앙선이 개통되면서 홍대 일대는 외국인 관광객의 필수 여행지가 되었습니다. 홍대 일대는 마포구 상수동의 홍익대학교 주변부터 서교동, 망원동, 연남동까지 이어져 점차 넓은 구역으로 확장되고 있습니다.

홍대 일대를 관할하는 마포구청은 이곳을 찾는 관광객들에게 여행 정보와 특색 있는 테마별 관광 코스를 알리기 위해 '홍대 잔다리마을 골목여행 지도'를 제작하였는데 A, B, C코스로 나뉘어 있습니다. A코스는 디자인과 건축물을 결합한 코스로 홍대를 상징하는 독특한 건축물과 다양한 작품, 디자인 상품을 만날 수 있는 전시 공간과 아트숍 등으로 구성되어 있습니다. B코스는 문화와 역사를 결합한 코스로 등록문화재 제413호인 최규하 대통령 가옥을 비롯해 한국의 전통 문화를 느낄 수 있는 공간으로 이루어져 있습니다. 마지막 C코스는 예술과 책을 결합한 코스로 소규모 책방, 공연장, 갤러리 등이 포함되어 있습니다.

그 외에 홍대 인근에서 가 볼 만한 곳으로 **연남동 동진시장과 홍대 앞 예술시장 플리마켓, 망원동 망리단길** 등이 있습니다. 또한 도시재생 프로젝트를 통해 경의선 노선을 계획적으로 개발하여 활성화한 '경의선 숲길 공원'도 인기 있습니다. 홍대입구역에서 연남파출소 교차로까지 이어지는 일직선 형태의 공원으로 젊은 세대가 많이 모이는 공간입니다.

## 朝鲜
Cháoxiǎn
조선

朝　鲜

一 十 ナ 古 古 直 卓 朝 朝 朝 朝
丿 ⺈ ⺈ 允 允 鱼 鱼 鱼 鱼 鲜 鲜 鲜 鲜 鲜

## 这里
zhèli
이곳, 여기

这　里

丶 亠 文 文 这 这 这
丨 冂 日 日 甲 里 里

## 观光
guānguāng
관광하다

观　光

フ 又 观 观 观 观
丨 ⺌ 业 光 光 光

## 地方
dìfang
곳, 장소

地　方

一 十 土 圤 地 地
丶 亠 方 方

## 听说
tīngshuō
듣자 하니

听　说

丨 口 口 听 听 听 听
丶 讠 讠 讠 说 说 说 说 说

## 星探
xīngtàn
연예 매니지먼트

星　探

丨 冂 日 日 旦 星 星 星 星
一 扌 扌 扌 扩 护 护 探 探 探

## 오늘 정통 한정식을
## 맛볼 수 있게 되었어요.

今天能尝到正宗的韩式套餐了。

## 회화 **1** 이천 한정식

🔊 Track 04-01

A 哇！真丰盛啊！
Wā! Zhēn fēngshèng a!

B 今天能尝到正宗的韩式套餐了。
Jīntiān néng chángdào zhèngzōng de hánshì tàocān le.

A 你不是吃过一次吗？给我们介绍一下。
Nǐ bú shì chīguo yí cì ma? Gěi wǒmen jièshào yíxià.

B 好，韩式套餐有开胃菜、主菜、主食和甜点。
Hǎo, hánshì tàocān yǒu kāiwèicài、zhǔcài、zhǔshí hé tiándiǎn.

## 회화 **2** 양양 서핑

Track 04-02

A 今天滑了冲浪板真有意思。
Jīntiān huále chōnglàngbǎn zhēn yǒu yìsi.

B 我有点儿饿了，咱们去吃饭吧。
Wǒ yǒudiǎnr è le, zánmen qù chī fàn ba.

A 这里的海鲜很有名！
Zhèli de hǎixiān hěn yǒumíng!

B 江原道的代表美食是红蛤。
Jiāngyuán Dào de dàibiǎo měishí shì hónggé.

A 那我们去尝一尝吧。
Nà wǒmen qù cháng yi cháng ba.

# 새 단어 익히기

哇 wā 감 와, 우와

丰盛 fēngshèng 형 푸짐하다, 성대하다

啊 a 조 [문장 끝에 쓰여 감탄을 나타냄]

尝 cháng 동 맛보다

到 dào
동 [동사 뒤에서 보어로 쓰여 동작이 목적에 도달했거나 결과가 있음을 나타냄]

正宗 zhèngzōng 형 정통의, 진정한

韩式套餐 hánshì tàocān 한정식

不 bù 부 ~가 아니다

过 guo 조 ~한 적이 있다

次 cì 양 번, 회[횟수를 세는 단위]

给 gěi 개 ~에게

介绍 jièshào 동 소개하다

开胃菜 kāiwèicài 명 전채

主菜 zhǔcài 명 메인 요리

主食 zhǔshí
명 (한정식에서 메인 요리 다음에 나오는) 주식, 식사

甜点 tiándiǎn 명 후식, 디저트

滑 huá 동 (스키, 서프보드 등을) 타다, 미끄러지다

冲浪板 chōnglàngbǎn 명 서프보드

有意思 yǒu yìsi 형 재미있다

有点儿 yǒudiǎnr 부 조금, 약간

饿 è 형 배고프다

咱们 zánmen 대 우리, 저희

饭 fàn 명 밥

吧 ba
조 [문장 끝에 쓰여 제안이나 권유의 어기를 나타냄]

海鲜 hǎixiān 명 해산물

有名 yǒumíng 형 유명하다

江原道 Jiāngyuán Dào 고유 강원도[지명]

代表 dàibiǎo 동 대표하다, 나타내다

美食 měishí 명 미식, 맛있는 요리

红蛤 hónggé 명 홍합

那 nà 접 그러면

这是菜单。
Zhè shì càidān.
여기 메뉴판입니다.

你要什么?
Nǐ yào shénme?
무엇을 원하십니까?

襄阳有国际机场。
Xiāngyáng yǒu guójì jīchǎng.
양양에는 국제공항이 있습니다.

你吃过利川大米吗?
Nǐ chīguo Lìchuān dàmǐ ma?
이천 쌀을 먹어 본 적이 있나요?

## ＋플러스 단어

拌饭 bànfàn 비빔밥

紫菜饭 zǐcàifàn 김밥

米肠 mǐcháng 순대

炖牛排骨 dùnniúpáigǔ 갈비찜

五花肉 wǔhuāròu 삼겹살

菜包肉 càibāoròu 보쌈

冷面 lěngmiàn 냉면

葱饼 cōngbǐng 파전

泡菜 pàocài 김치

泡菜汤 pàocàitāng 김치찌개

大酱汤 dàjiàngtāng 된장찌개

米糕 mǐgāo 떡

# 어법 파헤치기

## 1 결과보어 到

결과보어는 동사 뒤에 쓰여 동작의 결과를 보충 설명합니다. 그중 '到'는 동작의 결과가 발생했거나 목적에 도달했음을 나타냅니다. 부정형은 동사 앞에 '没(有) méi(yǒu)'를 넣어 표현하고, 문장 끝에 '了'가 있으면 생략합니다.

**今天能尝到正宗的韩式套餐了。** 오늘 정통 한정식을 맛볼 수 있게 되었어요.
Jīntiān néng chángdào zhèngzōng de hánshì tàocān le.

**我没有看到他。** 저는 그를 보지 못했습니다.
Wǒ méiyǒu kàndào tā.

**你听到那个消息了吗?** 그 소식 들었어요?
Nǐ tīngdào nàge xiāoxi le ma?


## 2 동태조사 过

'过'는 동사 뒤에 쓰여 어떤 동작이나 변화가 일찍이 발생하였음을 나타내는데, 우리말의 '~한 적이 있다'에 해당합니다. 부정형은 동사 앞에 '没(有)'를 써서 나타냅니다.

**你不是吃过一次吗?** 당신 한 번 먹어 보지 않았나요?
Nǐ bú shì chīguo yí cì ma?

**我去过江原道。** 저는 강원도에 간 적이 있습니다.
Wǒ qùguo Jiāngyuán Dào.

**我没滑过冲浪板。** 저는 서핑을 해 본 적이 없습니다.
Wǒ méi huáguo chōnglàngbǎn.

## 3 개사 给

'给'는 '주다'라는 뜻의 동사로 쓰이기도 하지만 '~에게'라는 뜻의 개사로 쓰여 행위의
대상을 나타내기도 합니다.

**给我们介绍一下。** 저희에게 소개 좀 해 주세요.
Gěi wǒmen jièshào yíxià.

**我给学生讲课。** 저는 학생들에게 강의를 합니다.
Wǒ gěi xuéshēng jiǎngkè.

**我要给父母买利川大米。** 저는 부모님께 이천 쌀을 사 드리려고 합니다.
Wǒ yào gěi fùmǔ mǎi Lìchuān dàmǐ.

## 4 부사 有点儿

'有点儿'은 우리말의 '조금' '약간'에 해당하며, 화자의 주관적인 관점에서 약간 불만족
스럽거나 부정적인 상황을 나타낼 때 쓰입니다.

**我有点儿饿了。** 저는 배가 좀 고파요.
Wǒ yǒudiǎnr è le.

**我有点儿累。** 저는 좀 피곤합니다.
Wǒ yǒudiǎnr lèi.

**妈妈有点儿不高兴。** 어머니는 기분이 좀 좋지 않으십니다.
Māma yǒudiǎnr bù gāoxìng.

## 실력 향상하기

**1** 녹음을 듣고 그림에 맞게 A, B, C를 써 넣으세요. ⊙ Track 04-06

(1)

(2)

(3)

      (　　　　)　　　　　　　　(　　　　)　　　　　　　　(　　　　)

**2** 녹음을 듣고 내용과 일치하면 O, 일치하지 않으면 ✕를 표시해 보세요. ⊙ Track 04-07

(1) 昨天我们去江原道了。　　　　　(　　　)

(2) 江原道的红蛤很有名！　　　　　(　　　)

(3) 我不饿。　　　　　　　　　　　(　　　)

(4) 我吃过韩式套餐。　　　　　　　(　　　)

**3** 빈칸에 들어갈 말을 골라 문장을 완성해 보세요.

有点儿　　尝到　　给　　过

(1) 我＿＿＿＿＿＿饿了。

(2) ＿＿＿＿＿＿我们介绍一下。

(3) 你不是吃＿＿＿＿＿＿一次吗?

(4) 今天能＿＿＿＿＿＿正宗的韩式套餐了。

## 4 다음 문장을 중국어로 바꿔 보세요.

(1) 와! 정말 푸짐하네요!

→ _____

(2) 우리 밥 먹으러 가요.

→ _____

(3) 그럼 우리 한번 맛보러 갑시다.

→ _____

(4) 오늘 서핑을 했는데 정말 재미있었어요.

→ _____

## 5 다음 그림을 보고 자유롭게 대화를 완성해 보세요.

(1)

A: 滑冲浪板有意思吗?

B: _____

(2)

A: 韩式套餐怎么样?

B: _____

# 활동 수행하기

## 🗺️ 지도 들여다보기

지도를 보고 양양에 있는 주요 관광지의 위치와 중국어 명칭을 알아봅시다.

## 중국어로 말해 보기

🔘 Track 04-08

❶ 설악산 대청봉 雪岳山大青峰
Xuěyuè Shān Dàqīng Fēng

❷ 양양향교 襄阳乡校 Xiāngyáng Xiāngxiào

❸ 낙산사 洛山寺 Luòshān Sì

❹ 양양국제공항 襄阳国际机场
Xiāngyáng Guójì Jīchǎng

❺ 하조대 河赵台 Hézhàotái

❻ 죽도 해수욕장 竹岛海水浴场
Zhúdǎo Hǎishuǐ Yùchǎng

❼ 남애항 南涯港 Nányá Gǎng

❽ 국립 미천골 자연휴양림 国立米川谷自然休养林
Guólì Mǐchuāngǔ Zìrán Xiūyǎnglín

## 다 함께 알아보기

조별로 다음 질문에 답해 봅시다. 제시된 지도를 활용해도 좋습니다.

**1** 양양에 어떤 관광지와 놀거리가 있는지 알아봅시다.

**2** 이천에 어떤 특산품이 있는지 알아봅시다.

**3** 한국과 중국의 밥상 문화에 어떤 차이가 있는지 알아봅시다.

# 한·중·일의
# 식기 문화

한국, 중국, 일본 세 나라는 모두 **숟가락과 젓가락을 사용**한다는 공통점이 있지만, 구체적인 사용 방법에는 차이가 있습니다. 우리나라는 밥과 찌개, 국을 많이 먹기 때문에 숟가락을 많이 사용합니다.

반면 **중국과 일본에서는 우리나라만큼 숟가락을 많이 사용하지 않습니다.** 중국에서는 국물을 떠먹을 때만 숟가락을 씁니다. 기름에 조리하는 음식이 많아서 숟가락으로 음식을 먹을 경우 입을 데기 쉽고, 차를 마시는 문화가 발달해서 국물이 있는 음식이 많지 않기 때문에 숟가락 사용이 줄어들게 된 것입니다.

일본은 숟가락을 중국보다도 더 적게 씁니다. 국물 음식을 먹을 때는 그릇을 들고 국물을 마시면서 잘게 썬 국 건더기를 젓가락으로 입에 넣습니다. 숟가락을 쓰더라도 면을 먹을 때 면발을 받치는 정도의 용도입니다.

우리나라가 숟가락을 많이 사용하게 된 이유는 식기와 연관이 있습니다. 중국에서는 도자기를 주로 사용했고 일본은 도자기나 나무로 만든 칠기를 주로 사용했습니다. 도자기나 칠기는 비교적 무게가 가벼워서 손으로 들기 편합니다. 하지만 **우리나라는 여름철에는 도자기를, 겨울철에는 놋쇠 그릇을** 주로 사용했습니다. 더군다나 우리나라는 식사에서 밥이 차지하는 비중이 무척 컸습니다. 무거운 놋쇠 그릇에 밥을 수북이 담기까지 했으니 그릇을 들고 먹기 어려워서 자연스럽게 숟가락으로 밥과 국을, 젓가락으로 반찬을 먹는 방식이 정착된 것으로 보입니다.

하지만 이처럼 숟가락으로 밥을 떠먹던 우리나라의 풍습도 **차츰 젓가락 중심으로 바뀌고 있습니다.** 식문화가 서구화, 현대화되면서 밥상, 수저, 식기도 많이 달라졌기 때문입니다.

# 한국의 서핑1번지
# 양양

강원도 양양은 국내에서 서핑을 즐기기에 가장 좋은 곳으로 유명합니다. 서핑 외에도 당일치기로 가 볼 만한 곳이 많아 인기 관광지로 급부상 중입니다.

## 양양5일장

양양5일장은 지역특산품을 판매하는 장터입니다. 또한 저렴하면서도 맛있는 먹거리들이 많아 양양을 찾은 관광객들이 꼭 들르는 곳입니다.

## 하조대

해안에 우뚝 솟은 기암절벽과 울창한 소나무숲이 함께 절경을 이루는 곳입니다. 하조대 앞에는 등대가 있어 그 일대를 항해하는 밤배들에게 빛을 밝혀 주며, 바다낚시터로도 유명하여 오징어회를 비롯한 각종 생선회를 즐길 수 있습니다.

## 미천골 자연휴양림

미천골 자연휴양림에는 약 12km에 달하는 미천골 계곡이 곳곳에 크고 작은 폭포를 형성하며 굽이쳐 흐르고 있습니다. 산림문화휴양관 등의 숙박 시설과 각종 편의 시설, 신라시대 고적인 선림원지와 불바라기 약수터가 있어 문화 유적과 자연을 함께 즐길 수 있습니다.

## 남애항

남애항은 삼척 초곡항, 강릉 심곡항과 함께 강원도의 3대 미항으로 꼽히는 아름다운 항구입니다. 항구 주변에 남애 해수욕장과 매호라는 석호가 있어 바다낚시는 물론 붕어와 잉어 등 민물낚시도 즐길 수 있으며, 동해에서 잡은 싱싱한 회도 맛볼 수 있습니다.

**丰盛**
fēngshèng
풍짐하다

一 二 三 丰

一 厂 厈 戍 成 成 成 戚 盛 盛 盛

**介绍**
jièshào
소개하다

丿 人 介 介

ㄥ ㄠ ㄠ 纟 纩 绍 绍 绍

**主菜**
zhǔcài
메인 요리

`` ` 亠 二 キ 主

一 艹 艹 芊 芊 苹 苹 莖 苹 莱 菜

**海鲜**
hǎixiān
해산물

` ` 氵 氵 广 汇 海 海 海 海

丿 ⺈ 亇 宊 句 角 角 鱼 鱼 鲀 鲜 鲜 鲜 鲜

**代表**
dàibiǎo
대표하다

丿 亻 仁 代 代

一 二 キ 丰 耒 耒 表 表

**美食**
měishí
미식

` 丷 놧 놧 羊 羊 美 美

丿 人 亼 今 今 今 食 食 食

## 오늘 저녁에 우리 게스트하우스에서 묵는 거죠?

今晚我们要住青年旅社，对吗？

## 회화 1 게스트하우스

Track 05-01

A 今晚我们要住青年旅社，对吗?
Jīnwǎn wǒmen yào zhù qīngnián lǚshè, duì ma?

B 对，在首尔市区。
Duì, zài Shǒu'ěr shìqū.

A 是什么样的房子?
Shì shénmeyàng de fángzi?

B 是典型的韩屋。
Shì diǎnxíng de hánwū.

A 有没有洗浴设施?
Yǒu méiyǒu xǐyù shèshī?

B 当然有。
Dāngrán yǒu.

## 2 바비큐 파티

Track 05-02

A 请大家入席吧。
Qǐng dàjiā rùxí ba.

B 今天我们吃烤肉。
Jīntiān wǒmen chī kǎoròu.

A 喝什么酒啊?
Hē shénme jiǔ a?

B 喝炮弹酒。
Hē pàodànjiǔ.

A 啊? 什么叫炮弹酒?
Á? Shénme jiào pàodànjiǔ?

B 就是在啤酒里加烧酒。
Jiù shì zài píjiǔ li jiā shāojiǔ.

A 你能喝几杯? 今晚好好喝吧。
Nǐ néng hē jǐ bēi? Jīnwǎn hǎohāo hē ba.

住 zhù 동 묵다, 숙박하다

青年旅社 qīngnián lǔshè
명 게스트하우스, 유스호스텔

对 duì 형 맞다, 옳다

在 zài 동 ~에 있다

首尔 Shǒu'ěr 고유 서울[지명]

什么样 shénmeyàng 대 어떠한, 어떤 모양의

房子 fángzi 명 집, 건물

典型 diǎnxíng 형 전형적이다

韩屋 hánwū 명 한옥

没有 méiyǒu 동 없다 부 ~않다

洗浴 xǐyù 샤워하다

设施 shèshī 명 시설

当然 dāngrán
부 물론, 당연히 형 물론이다, 당연하다

大家 dàjiā 대 모두

入席 rùxí 동 착석하다

烤肉 kǎoròu 바비큐, 고기구이, 불고기

喝 hē 동 마시다

什么 shénme 대 무엇, 무슨

酒 jiǔ 명 술

炮弹酒 pàodànjiǔ 폭탄주

就 jiù 부 바로, 꼭

啤酒 píjiǔ 명 맥주

里 li 명 안, 속, 내부

烧酒 shāojiǔ 명 소주

几 jǐ
대 몇 [주로 10 이하의 확실치 않은 수를 나타냄]

好好 hǎohāo 부 실컷, 잘, 제대로

● Track 05-04

● 今天过得很高兴。
Jīntiān guò de hěn gāoxìng.
오늘 즐겁게 보냈습니다.

● 谢谢您的款待。
Xièxie nín de kuǎndài.
환대해 주셔서 감사합니다.

● 我们一起吃晚饭吧。
Wǒmen yìqǐ chī wǎnfàn ba.
우리 같이 저녁 식사 합시다.

● 真是快乐的宴会啊!
Zhēn shì kuàilè de yànhuì a!
참 즐거운 파티였습니다!

## +플러스 단어

● Track 05-05

勺子 sháozi 숟가락

筷子 kuàizi 젓가락

叉子 chāzi 포크

刀 dāo 칼

水杯 shuǐbēi 물컵

酒杯 jiǔbēi 술잔

香槟酒 xiāngbīnjiǔ 샴페인

威士忌酒 wēishìjìjiǔ 위스키

橙汁 chéngzhī 오렌지 주스

柠檬汁 níngméngzhī 레몬 주스

矿泉水 kuàngquánshuǐ 생수, 광천수

可乐 kělè 콜라

## 1 동사 在

'在'는 '~에'라는 뜻의 개사로 쓰이기도 하지만 동사로 쓰이기도 합니다. 사람이나 사물이 어떤 장소에 존재함을 나타내며 우리말의 '~에 있다'에 해당합니다. 부정형은 '不在'입니다.

**青年旅社在首尔市区。** 게스트하우스는 서울 시내에 있어요.
Qīngnián lǚshè zài Shǒu'ěr shìqū.

**我们在北村韩屋村。** 우리는 북촌 한옥마을에 있습니다.
Wǒmen zài Běicūn Hánwūcūn.

**他在首儿酒店。** 그는 서울호텔에 있습니다.
Tā zài Shǒu'ěr Jiǔdiàn.

## 2 정반의문문

정반의문문이란 동사, 형용사 등 술어의 주요 성분의 긍정형과 부정형을 나열하여 의문문을 만든 것을 말합니다. 회화 본문에서는 동사 '有'와 부정형인 '没有'를 연이어 사용하여 '有没有'라고 표현했는데, 이는 우리말의 '있습니까?'에 해당합니다.

**有没有洗浴设施?** 샤워 시설이 있나요?
Yǒu méiyǒu xǐyù shèshī?

**这儿是不是首尔市区?** 여기가 서울 시내입니까?
Zhèr shì bu shì Shǒu'ěr shìqū?

**他的个子高不高?** 그의 키는 큽니까?
Tā de gèzi gāo bu gāo?

## 3 의문대사 几와 多少

'几'와 '多少 duōshao'는 둘 다 수를 물을 때에 사용하는 의문대사이지만 용법에는 차이가 있습니다. '几'는 주로 10 이하의 수를 물을 때 쓰고, '多少'는 10 이상의 수량을 물을 때 씁니다. 그리고 '几' 뒤에는 반드시 양사가 있어야 하지만 '多少' 뒤에는 양사가 있어도 되고 없어도 됩니다.

**你能喝几杯?** 당신은 몇 잔을 마실 수 있나요?
Nǐ néng hē jǐ bēi?

**你去过韩国的几个城市?** 당신은 한국의 몇 개 도시를 가 보았습니까?
Nǐ qùguo Hánguó de jǐ ge chéngshì?

**啤酒一瓶多少钱?** 맥주 한 병은 얼마입니까?
Píjiǔ yì píng duōshao qián?

**这附近有多少个韩屋青年旅社?** 이 근처에 한옥 게스트하우스가 얼마나 있습니까?
Zhè fùjìn yǒu duōshao ge hánwū qīngnián lǚshè?

## 4 형용사 중첩

형용사를 중첩하면 형용사의 묘사적 의미가 강화됩니다. 중첩된 형용사는 문장 속에서 여러 성분으로 쓰이는데 회화 본문에서는 부사로 쓰였습니다. 중첩된 형용사가 명사를 수식하거나 술어로 쓰일 때에는 뒤에 '的'를 붙입니다. 형용사가 1음절인 경우에는 'AA' 형태로, 2음절인 경우에는 'AABB' 형태로 중첩합니다.

**今晚好好喝吧。** 오늘 저녁 한바탕 마셔 봅시다.
Jīnwǎn hǎohāo hē ba.

**那个高高的建筑是酒店。** 저 높디높은 건축물은 호텔입니다.
Nàge gāogāo de jiànzhù shì jiǔdiàn.

**这个房间是干干净净的。** 이 방은 매우 깔끔합니다.
Zhège fángjiān shì gānganjìngjìng de.

# 실력 향상하기

## 1

녹음을 듣고 그림에 맞게 A, B, C를 써 넣으세요. ◉ Track 05-06

(1)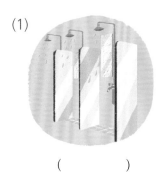

(       )

(2)

(       )

(3)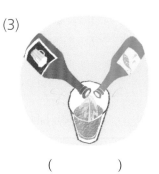

(       )

## 2

녹음을 듣고 내용과 일치하면 〇, 일치하지 않으면 ✕를 표시해 보세요. ◉ Track 05-07

(1) 有洗浴设施。       (       )

(2) 是典型的韩屋。       (       )

(3) 就是在啤酒里加烧酒。       (       )

(4) 今晚我们不喝酒。       (       )

## 3

빈칸에 들어갈 말을 골라 문장을 완성해 보세요.

什么样     几     对吗     在

(1) _____首尔市区。

(2) 你能喝_____杯?

(3) 是_____的房子?

(4) 今晚我们要住青年旅舍，_____?

## 4 다음 문장을 중국어로 바꿔 보세요.

(1) 물론 있습니다.

→ _____

(2) 폭탄주가 뭐예요?

→ _____

(3) 모두들 자리에 앉으세요.

→ _____

(4) 오늘 우리는 바비큐를 먹어요.

→ _____


## 5 다음 그림을 보고 자유롭게 대화를 완성해 보세요.

(1)

A: 你喝过炮弹酒吗?

B: _____

(2)

A: 你看过韩屋吗?

B: _____

# 활동 수행하기

## 지도 들여다보기

지도를 보고 서울에 있는 랜드마크의 위치와 중국어 명칭을 알아봅시다.

## 중국어로 말해 보기

● Track 05-08

① 경복궁 景福宮 Jǐngfú Gōng

② 하늘공원 蓝天公园 Lántiān Gōngyuán

③ 남산서울타워 南山首尔塔 Nánshān Shǒu'ěr Tǎ

④ 동대문디자인플라자(DDP) 东大门设计广场
Dōngdàmén Shèjì Guǎngchǎng

⑤ 국회의사당 国会议事堂 Guóhuì Yìshìtáng

⑥ 63스퀘어 63大厦 Liùsān Dàshà

⑦ 코엑스 韩国国际会展中心
Hánguó Guójì Huìzhǎn Zhōngxīn

⑧ 올림픽 주경기장 奥林匹克主竞技场
Àolínpǐkè Zhǔjìngjìchǎng

⑨ 롯데월드타워 乐天塔 Lètiān Tǎ

⑩ 올림픽공원 奥林匹克公园 Àolínpǐkè Gōngyuán

## 다 함께 알아보기

조별로 다음 질문에 답해 봅시다.

### 1  외국인 전용 게스트하우스에 대해 알아봅시다.

### 2  우리나라의 술 문화를 알아봅시다.

### 3  각국의 건배사를 알아봅시다.

# 프로토콜

'프로토콜(Protocol)'은 매너나 에티켓보다 상위의 개념으로서 공식회담 등 국제적인 행사를 기획·입안·실시할 때 따라야 하는 규범을 일컫습니다. 국가·민족·종교 등에 따라 각기 다른 규범이 존재하기 때문에 프로토콜은 국제적인 규범으로서 중요한 역할을 합니다. 이는 일반 조직에도 적용되어 '행사를 치르는 예법'으로 통용됩니다.

## 현지 관습 존중

프로토콜의 기본 바탕이 되는 것으로, 상대의 문화·정치·종교를 존중하는 것을 말합니다. 상대의 문화를 따르는 것에서 나아가 상대의 관습에 경의를 표하는 것이 중요합니다.

## 서열주의

참석자 간의 서열을 지키는 것을 말합니다. 특히 만찬회의 좌석을 배치할 때 주최자, 귀빈, 참석사 간의 서열을 잘 알 수 있노록 주의해야 합니다.

## 상호주의

서로 동등한 가치를 교환하는 것을 말합니다. 상대로부터 받은 예우와 비슷한 수준의 답례를 하는 것이 예의입니다.

# 모임 매너

## 선물 준비
• 주최자의 손을 성가시게 하지 않는 것으로 준비합니다.
• 꽃을 준비하는 경우에는 꽃다발보다는 **바구니나 화기에 꽂아진 꽃**이 좋으며, 와인을 준비하는 경우에는 **디저트 와인**을 가져가는 것이 좋습니다.
• 음식은 식단에 방해가 될 수 있으므로 피하는 것이 좋지만 과일과 초콜릿은 예외입니다.

## 시간 약속
• 정해진 시간에 **늦지 않는 것**이 예의입니다.
• 급한 일이 생기더라도 15분 이상 늦으면 안 됩니다.
• 만약 불가피한 사정으로 늦는다면 도착 시간을 미리 알립니다.
• 늦는 것도 예의가 아니지만, 너무 빨리 가는 것도 예의가 아닙니다.

## 화제 선택
• 뒷소문이나 불쾌한 이야기는 피합니다.
• 본인 중심의 화제만 선정해서도 안 됩니다. 모두가 같이 대화에 참여할 수 있는 화제를 중심으로 대화하는 것이 좋습니다.
• 상대방의 이야기를 잘 들어 주는 것도 중요하며 지나치게 큰 소리로 이야기하거나 감정적으로 이야기하는 것은 자제합니다.

## 축배 제의
• 격식 있는 모임에서는 반드시 일어나서 축배를 듭니다.
• 축배를 할 때는 와인잔의 다리를 잡습니다.
• 자신을 위해서 축배를 해 준 경우에는 적당한 말로 응답합니다.

典型
diǎnxíng
전형적이다

典型

丨 冂 曰 由 曲 曲 典 典
一 二 于 开 开 刑 型 型 型

设施
shèshī
시설

设施

丶 讠 讵 讱 设 设
丶 亠 方 方 方 扩 旃 施 施

当然
dāngrán
물론

当然

丨 丨 丬 当 当 当
丿 ク タ タ ター 炏 妖 然 然 然 然 然

入席
rùxí
착석하다

入席

丿 入
丶 亠 广 广 庐 庐 庐 庐 席 席

烤肉
kǎoròu
바비큐

烤肉

丶 丷 ナ 火 炌 炌 炶 烤 烤 烤
丨 冂 内 内 肉 肉

啤酒
píjiǔ
맥주

啤酒

丨 叮 叮 叮 叮 叮 呻 呻 啤 啤 啤
丶 丶 氵 沪 沪 沪 洒 酒 酒 酒

전주 돌솥비빔밥은
한국의 유명한 음식입니다.

全州石锅拌饭是韩国有名的美食。

# 1 전주 돌솥비빔밥

Track 06-01

A 全州石锅拌饭是韩国有名的美食。
Quánzhōu shíguō bànfàn shì Hánguó yǒumíng de měishí.

B 是怎么做的呢?
Shì zěnme zuò de ne?

A 在米饭上面放牛肉末、各种蔬菜,
Zài mǐfàn shàngmiàn fàng niúròu mò、gè zhǒng shūcài,

加上辣椒酱和香油拌匀。
jiāshang làjiāojiàng hé xiāngyóu bàn yún.

B 真是健康食品啊!
Zhēn shì jiànkāng shípǐn a!

A 是啊! 锅底的锅巴更是一绝。
Shì a! Guōdǐ de guōbā gèng shì yì jué.

B 既然来了,我们就尝尝吧。
Jìrán láile, wǒmen jiù chángchang ba.

## 회화 2 전주 한옥마을

● Track 06-02

A 全州韩屋村是"韩国最大的韩屋村"。
　Quánzhōu Hánwūcūn shì "Hánguó zuì dà de hánwūcūn".

B 我们体验一下韩国的传统文化怎么样？
　Wǒmen tǐyàn yíxià Hánguó de chuántǒng wénhuà zěnmeyàng?

A 都有什么文化活动？
　Dōu yǒu shénme wénhuà huódòng?

B 有美食、韩服体验和传统游戏。
　Yǒu měishí、hánfú tǐyàn hé chuántǒng yóuxì.

A 怪不得到处都可以看到穿韩服的人。
　Guàibudé dàochù dōu kěyǐ kàndào chuān hánfú de rén.

# 새 단어 익히기

全州 Quánzhōu [고유] 전주[지명]

石锅拌饭 shíguō bànfàn [명] 돌솥비빔밥

韩国 Hánguó [고유] 한국[나라 이름]

怎么 zěnme [대] 어떻게, 어째서, 왜

做 zuò [동] 만들다, 하다

米饭 mǐfàn [명] 밥, 쌀밥

上面 shàngmiàn [명] 위

放 fàng [동] 놓다

牛肉末 niúròu mò 다진 쇠고기

各 gè [대] 여러, 갖가지, 각각

种 zhǒng [양] 가지, 종, 종류

蔬菜 shūcài [명] 채소

加上 jiāshang [동] 더하다, 첨가하다

辣椒酱 làjiāojiàng [명] 고추장

香油 xiāngyóu [명] 참기름

拌匀 bàn yún 비비다, 고르게 뒤섞다

健康 jiànkāng [형] 건강하다

食品 shípǐn [명] 음식, 식품

锅底 guōdǐ [명] 돌솥 바닥

锅巴 guōbā [명] 누룽지

更 gèng [부] 더욱, 더, 훨씬, 한층

一绝 yì jué 일품이다, 제일이다

既然 jìrán [접] 기왕 ~한 이상, ~한 바에야

来 lái [동] 오다

最 zuì [부] 가장

大 dà [형] 크다

体验 tǐyàn [동] 체험하다 [명] 체험

传统 chuántǒng [명] 전통

文化 wénhuà [명] 문화

活动 huódòng [명] 활동, 행사

韩服 hánfú [명] 한복

游戏 yóuxì [명] 놀이, 게임

怪不得 guàibudé [부] 어쩐지, 과연

到处 dàochù [명] 곳곳, 도처

穿 chuān [동] (옷을) 입다, (신발·양말 등을) 신다

● Track 06-04

● 石锅拌饭真好吃!
Shíguō bànfàn zhēn hǎochī!
돌솥비빔밥은 정말 맛있습니다!

● 韩服漂亮吧?
Hánfú piàoliang ba?
한복이 예쁘지요?

● 你去过全州韩屋村吗?
Nǐ qùguo Quánzhōu Hánwūcūn ma?
전주 한옥마을에 가 본 적이 있습니까?

● 韩国的传统文化有哪些?
Hánguó de chuántǒng wénhuà yǒu nǎxiē?
한국의 전통 문화에는 어떤 것들이 있습니까?

# +플러스 단어

● Track 06-05

饭馆 fànguǎn 식당

自助餐 zìzhùcān 뷔페

快餐 kuàicān 패스트푸드

参鸡汤 shēnjītāng 삼계탕

什锦炒菜 shíjǐn chǎocài 잡채

松饼 sōngbǐng 송편

秋千 qiūqiān 그네

跳板 tiàobǎn 널뛰기

农乐舞 nóngyuèwǔ 농악무

假面具 jiǎmiànjù 탈

民俗村 mínsúcūn 민속촌

四物游戏 sìwù yóuxì 사물놀이

# 어법 파헤치기

## 1 의문대사 怎么

'怎么'는 의문대사로, 동사 앞에 쓰여 상황·방식·원인을 묻습니다. 상대방에게 어떻게 할 것인지 물을 때 사용하는데 우리말의 '어떻게' '어째서' '왜'에 해당합니다.

**全州石锅拌饭是怎么做的呢?** 전주 돌솥비빔밥은 어떻게 만드는 건가요?
Quánzhōu shíguō bànfàn shì zěnme zuò de ne?

**这件韩服怎么穿?** 이 한복은 어떻게 입습니까?
Zhè jiàn hánfú zěnme chuān?

**怎么去全州韩屋村?** 전주 한옥마을에 어떻게 갑니까?
Zěnme qù Quánzhōu Hánwūcūn?

## 2 접속사 既然

복문의 앞 절에 '既然'을 써서 어떠한 사실을 인정하고, 뒷 절에서는 이 사실을 근거로 어떠한 추측이나 결론을 내립니다. 우리말의 '기왕 ~한 이상' '~한 바에야'에 해당합니다. 흔히 '就'와 호응하여 사용됩니다.

**既然来了，我们就尝尝吧。** 기왕 왔으니, 우리 한번 맛봅시다.
Jìrán láile, wǒmen jiù chángchang ba.

**既然干就好好干吧。** 할 바에는 잘합시다.
Jìrán gàn jiù hǎohāo gàn ba.

**既然都同意，就这么办吧。** 모두 동의했으니 이렇게 하기로 합시다.
Jìrán dōu tóngyì, jiù zhème bàn ba.

## 3 부사 怪不得

'怪不得'는 원인을 알고 나니 다음에 언급되는 상황이 일어나는 것이 이상하게 느껴지지 않는다는 의미를 나타냅니다. 복문인 경우, 원인을 나타내는 절은 앞에 올 수도 있고 뒤에 올 수도 있습니다. 우리말의 '어쩐지' '과연'에 해당합니다.

**怪不得到处都可以看到穿韩服的人。** 어쩐지 곳곳에 한복을 입은 사람들이 보이네요.
Guàibudé dàochù dōu kěyǐ kàndào chuān hánfú de rén.

**怪不得他不来，原来他病了！** 어쩐지 그가 안 온다 했더니 아팠네요!
Guàibudé tā bù lái, yuánlái tā bìng le!

**怪不得这么凉快，原来是开了空调。** 어쩐지 이렇게 시원하다 했더니 에어컨을 켰네요.
Guàibudé zhème liángkuài, yuánlái shì kāile kōngtiáo.

**天气预报说今晚有雨，怪不得这么闷热。**
Tiānqì yùbào shuō jīnwǎn yǒu yǔ, guàibudé zhème mēnrè.
일기예보에 의하면 오늘 저녁에 비가 온다던데, 과연 이렇게 후덥지근하네요.

## 4 명사 到处

곳곳에 같은 사물이나 상황이 있음을 나타냅니다. 우리말의 '곳곳' '도처' '여기저기'에 해당합니다.

**怪不得到处都是人。** 어쩐지 곳곳에 온통 사람이 있네요.
Guàibudé dàochù dōu shì rén.

**这里到处都是传统韩屋。** 여기는 도처에 모두 전통 한옥이 있네요.
Zhèli dàochù dōu shì chuántǒng hánwū.

**我到处打听了他的消息。** 나는 여기저기서 그의 소식을 수소문했습니다.
Wǒ dàochù dǎtīngle tā de xiāoxi.

## 1

녹음을 듣고 그림에 맞게 A, B, C를 써 넣으세요. 🔘 Track 06-06

(1)　　　　　　　　　　(2)　　　　　　　　　　(3)

(　　　　　)　　　　　(　　　　　)　　　　　(　　　　　)

## 2

녹음을 듣고 내용과 일치하면 O, 일치하지 않으면 X를 표시해 보세요. 🔘 Track 06-07

(1) 全州石锅拌饭是韩国有名的美食。　　　　　　　(　　　　)

(2) 我们体验一下韩国的传统文化怎么样?　　　　　(　　　　)

(3) 全州韩屋村是"韩国最大的韩屋村"。　　　　　　(　　　　)

(4) 是啊！锅底的锅巴更是一绝。　　　　　　　　　(　　　　)

## 3

빈칸에 들어갈 말을 골라 문장을 완성해 보세요.

既然……就……　　　到处　　　在……上面　　　和

(1) ＿＿＿＿＿＿来了，我们＿＿＿＿＿＿尝尝吧。

(2) ＿＿＿＿＿＿米饭＿＿＿＿＿＿放牛肉末、各种蔬菜。

(3) 加上辣椒酱＿＿＿＿＿＿香油拌匀。

(4) 怪不得＿＿＿＿＿＿都可以看到穿韩服的人。

4 다음 문장을 중국어로 바꿔 보세요.

(1) 정말 건강한 음식이군요!

→ _____

(2) 우리 한번 맛봅시다.

→ _____

(3) 어떻게 만드는 건가요?

→ _____

(4) 어떤 문화 활동들이 있나요?

→ _____


5 다음 그림을 보고 자유롭게 대화를 완성해 보세요.

(1)

A: 你吃过全州石锅拌饭吗?

B: _____

(2)

A: 你穿过韩服吗?

B: _____

# 활동 수행하기

## 📍 지도 들여다보기

지도를 보고 전주 한옥마을에 있는 주요 관광지의 위치와 중국어 명칭을 알아봅시다.

## 중국어로 말해 보기

Track 06-08

❶ 동학농민혁명기념관 东学农民革命纪念馆
　 Dōngxué Nóngmín Gémìng Jìniànguǎn

❷ 최명희문학관 崔明姬文学馆
　 Cuīmíngjī Wénxuéguǎn

❸ 경기전 庆基殿 Qìngjī Diàn

❹ 풍남문 丰南门 Fēngnán Mén

❺ 전주남부시장 全州南部市场
　 Quánzhōu Nánbù Shìchǎng

❻ 전동성당 殿洞天主教堂
　 Diàndòng Tiānzhǔ Jiàotáng

❼ 오목대 梧木台 Wúmùtái

❽ 전주향교 全州乡校 Quánzhōu Xiāngxiào

## 다 함께 알아보기

조별로 다음 질문에 답해 봅시다.

1 돌솥비빔밥에 들어가는 재료를 알아봅시다.

2 한복을 입고 입장하면 혜택이 있는 관광지를 알아봅시다.

3 우리나라의 전통 놀이를 알아봅시다.

# 한국의 전통 상차림

## 반상

밥, 국, 반찬을 기본으로 차리는 상입니다. 밥, 탕, 찌개, 장 등을 제외한 첩 수(뚜껑이 있는 반찬 그릇에 담는 반찬의 가짓수)에 따라 3첩, 5첩, 7첩, 9첩, 12첩으로 구분합니다.

## 면상

점심 또는 간단한 식사 때 밥 대신 국수나 만둣국 등으로 차리는 상입니다. 전, 잡채, 배추김치, 나박김치 등과 대접합니다.

## 주안상

술을 대접하기 위한 상으로 주로 둘 이상의 겸상 차림입니다. 손님의 기호를 고려하여 술의 종류를 장만하는데 보통 전골이나 찌개 등 국물이 있는 음식, 전, 회, 편육, 김치 등과 대접합니다.

## 교자상

명절 또는 경사가 있을 때 여러 사람이 먹을 수 있도록 차리는 큰상입니다. 주된 음식은 상의 중앙에 놓고, 국물이 있는 음식은 작은 그릇에 한 사람분씩 담아냅니다.

## 다과상

교자상 다음에 내는 후식상으로 각종 차, 화채, 식혜, 수정과 등을 대접합니다.

# 한국의 식사 예절

## 식사 중 예절

- 윗사람이 수저를 든 후 아랫사람이 따라 듭니다.
- 숟가락을 빨지 말고, 숟가락과 젓가락을 함께 잡지 않습니다.
- 밥은 밥그릇의 한쪽부터 먹어 들어가며, 국은 국그릇째 들고 마시지 않습니다.
- 한꺼번에 여러 가지 음식을 섞어 먹지 않습니다.
- 맛있는 음식만 골라 먹거나, 뒤적거리지 않습니다.
- 한꺼번에 많은 음식을 입에 넣어서 음식이 입 밖으로 튀어나오지 않도록 합니다. 특히 쌈을 먹을 때 조심해야 합니다.
- 음식을 먹을 때 소리를 내지 않도록 주의하고, 입안이 다른 사람에게 보이지 않도록 합니다.
- 돌을 씹거나 잘못된 음식을 먹었을 때는 다른 사람이 눈치채지 못하게 처리합니다.
- 말을 할 때는 입안에 있는 음식은 삼키고 수저를 내려놓고 합니다.

## 식사 후 예절

- 식사를 마치더라도 윗사람이 식사 중이면 자리에서 일어나서는 안 됩니다. 수저를 국그릇에 걸쳐 놓았다가 윗사람이 식사를 마친 후 수저를 식탁에 내려놓습니다.
- 식사가 완전히 끝났을 때는 '잘 먹었습니다'라고 인사하여 고마움을 표시합니다.

## 상차림 예절

- 식사하는 사람을 기준으로 **밥그릇은 왼쪽**에 놓고, **국그릇은 오른쪽**에 놓습니다.
- 숟가락은 국그릇의 오른쪽에 두고, 젓가락은 숟가락의 오른쪽에 둡니다.
- 국물이 있는 음식은 식사하는 사람 가까이에 놓습니다.
- 간장, 고추장 등은 식탁 중앙이나 식사하는 사람 가까이에 놓습니다.
- 수육과 젓갈 같이 특정 음식과 관계되는 조미 식품은 주 식품 가까이에 놓습니다.
- 식어도 괜찮은 음식을 먼저 차리고, 따뜻하게 먹는 음식은 식사 직전에 차립니다.
- 출입문에서 떨어진 **안쪽** 자리가 상석입니다.

**蔬菜**
shūcài
채소

蔬菜

一 十 艹 艹 艹 芹 芹 苐 苐 萨 萨 萨 蔬 蔬

一 十 艹 艹 芊 芊 苹 芣 苹 苹 菜

**健康**
jiànkāng
건강하다

健康

丿 亻 亻 俨 俨 伊 伊 律 律 健 健

丶 亠 广 广 庐 庐 庚 庚 庚 康 康

**既然**
jìrán
~한 바에야

既然

フ ヲ ヲ 日 艮 艮 旺 既 既 既

丿 夕 夕 夕 列 外 妖 妖 然 然 然 然 然

**体验**
tǐyàn
체험(하다)

体验

丿 亻 亻 什 付 休 体

フ 马 马 马 驴 驴 验 验 验 验

**传统**
chuántǒng
전통

传统

丿 亻 亻 仁 传 传

ㄥ ㄥ ㄥ 纟 纟 约 纺 纺 统

**游戏**
yóuxì
놀이, 게임

游戏

丶 丶 氵 氵 浐 泸 游 游 游 游 游 游

丁 又 戋 戏 戏 戏

부산국제영화제에 대해
들어 보셨어요?

你听说过釜山国际电影节吗?

# 1 부산국제영화제

A 你听说过釜山国际电影节吗?
Nǐ tīngshuōguo Fǔshān guójì diànyǐngjié ma?

B 当然了，每年十月初举行。
Dāngrán le, měi nián shí yuè chū jǔxíng.

A 电影节有多长的历史了?
Diànyǐngjié yǒu duō cháng de lìshǐ le?

B 已经有20多年了。
Yǐjīng yǒu èrshí duō nián le.

A 你不是来过电影节吗?
Nǐ bú shì láiguo diànyǐngjié ma?

B 是的。明星们穿着礼服走红毯，真是美极了！
Shì de. Míngxīngmen chuānzhe lǐfú zǒu hóngtǎn, zhēn shì měi jí le!

# 2 F1963

Track 07-02

A 今天要去F1963。
Jīntiān yào qù F yī jiǔ liù sān.

B 那是什么地方？
Nà shì shénme dìfang?

A 以前是废弃工厂，现在改成综合文化空间。
Yǐqián shì fèiqì gōngchǎng, xiànzài gǎichéng zōnghé wénhuà kōngjiān.

B 那里都有什么？
Nàli dōu yǒu shénme?

A 有咖啡厅、展览馆、书店和庭院等。
Yǒu kāfēitīng, zhǎnlǎnguǎn, shūdiàn hé tíngyuàn děng.

B 我们快去看看吧。
Wǒmen kuài qù kànkan ba.

# 새 단어 익히기

釜山 Fǔshān 고유 부산[지명]

国际 guójì 명 국제

电影节 diànyǐngjié 명 영화제

每 měi 대 매, 각, ~마다

年 nián 명 년, 해

月 yuè 명 월, 달

初 chū 명 초, 처음, 최초

举行 jǔxíng 동 행하다, 개최하다, 실시하다

多 duō 대 얼마나, 어느 정도 수 남짓

长 cháng 형 (시간이) 길다

历史 lìshǐ 명 역사

已经 yǐjīng 부 이미, 벌써

明星 míngxīng 명 유명 스타, 연예인

着 zhe 조 ~하고 있다, ~하는 중이다[동작의 지속을 나타냄]

礼服 lǐfú 명 파티복, 예복

走 zǒu 동 걷다, 가다

红毯 hóngtǎn 명 (시상식이나 영화제 등의) 레드카펫

美 měi 형 아름답다

极了 jí le [정도나 수준이 매우 높음을 나타냄]

以前 yǐqián 명 예전, 이전

废弃 fèiqì 동 버리다, 폐기하다

工厂 gōngchǎng 명 공장

现在 xiànzài 명 지금, 현재

改 gǎi 동 바뀌다, 변하다, 고치다

成 chéng 동 ~가 되다

综合 zōnghé 명 종합, 복합

空间 kōngjiān 명 공간

展览馆 zhǎnlǎnguǎn 명 전시관

书店 shūdiàn 명 서점

庭院 tíngyuàn 명 마당, 뜰

等 děng 조 등, 따위

快 kuài 부 어서, 얼른, 빨리

◉ Track 07-04

● 釜山是韩国第二大城市。

Fǔshān shì Hánguó dì-èr dà chéngshì.

부산은 한국 제2의 대도시입니다.

● 在釜山可尝到新鲜的生鱼片。

Zài Fǔshān kě chángdào xīnxiān de shēngyúpiàn.

부산에서는 신선한 생선회를 맛볼 수 있습니다.

● 晚上在海云台散步非常浪漫。

Wǎnshang zài Hǎiyúntái sànbù fēicháng làngmàn.

저녁에 해운대에서 산책하는 것은 낭만적입니다.

● 夏天的海云台真是人山人海。

Xiàtiān de Hǎiyúntái zhēn shì rénshān-rénhǎi.

여름의 해운대는 그야말로 인산인해입니다.

## ➕플러스 단어

◉ Track 07-05

太宗台 Tàizōngtái 태종대

广安大桥 Guǎng'ān Dàqiáo 광안대교

甘川文化村 Gānchuān Wénhuàcūn 감천문화마을

釜山会展中心 Fǔshān Huìzhǎn Zhōngxīn 벡스코(BEXCO)

国际市场 Guójì Shìchǎng 국제시장

游船 yóuchuán 유람선

水族馆 shuǐzúguǎn 수족관

海水浴场 hǎishuǐ yùchǎng 해수욕장

鱼饼 yúbǐng 어묵

小麦面 xiǎomàimiàn 밀면

猪肉汤饭 zhūròu tāngfàn 돼지국밥

种子糖饼 zhǒngzi tángbǐng 씨앗호떡

## 어법 파헤치기

### 1 대사 多와 수사 多

대사 '多'는 '얼마나' '어느 정도'라는 뜻으로 정도를 묻습니다. 주로 '(有)＋多＋형용사' 형식으로 사용하며, 우리말의 '얼마나 ~합니까?'에 해당합니다.

**电影节有多长的历史了?** 영화제의 역사가 얼마나 됐나요?
Diànyǐngjié yǒu duō cháng de lìshǐ le?

**酒店到机场有多远?** 호텔에서 공항까지 얼마나 먼가요?
Jiǔdiàn dào jīchǎng yǒu duō yuǎn?

**你今年多大?** 당신은 올해 몇 살인가요?
Nǐ jīnnián duō dà?

수사 '多'는 '남짓'이라는 뜻으로 제시한 수량보다 약간 많음을 나타냅니다. 만약 숫자의 끝자리가 0이면 '수사＋多＋양사'로 쓰고, 이외의 경우에는 '수사＋양사＋多'로 씁니다.

**已经有20多年了。** 벌써 20년 남짓 되었어요.
Yǐjīng yǒu èrshí duō nián le.

**我们学校有两千多个学生。** 우리 학교에는 2천여 명의 학생이 있어요.
Wǒmen xuéxiào yǒu liǎngqiān duō ge xuéshēng.

**我来釜山三个多月了。** 저는 부산에 온 지 3개월 남짓 됐습니다.
Wǒ lái Fǔshān sān ge duō yuè le.

### 2 동태조사 着

'着'는 동사 뒤에 쓰여 동작이나 상태의 지속을 나타냅니다. '주어＋동사＋着＋목적어'의 형식으로 나타내며, 우리말의 '~하고 있다'에 해당합니다. 진행 중인 동작의 지속을 나타내기도 하므로, 동작의 진행을 나타내는 '正(在)……(呢) zhèng(zài)……(ne)' '在……(呢) zài……(ne)'와 함께 쓰이기도 합니다.

**明星们穿着礼服走红毯。** 스타들이 파티복을 입고 레드카펫을 걸어요.
Míngxīngmen chuānzhe lǐfú zǒu hóngtǎn.

**她们正逛着街呢。** 그녀들은 쇼핑을 하는 중입니다.
Tāmen zhèng guàngzhe jiē ne.

**爸爸在打着电话。** 아버지는 전화를 걸고 계십니다.
Bàba zài dǎzhe diànhuà.

## 3 강조 표현 极了

'형용사/동사＋极了' 형식은 주로 감탄을 나타내며, 그 정도가 최고에 달했다는 의미를 나타냅니다.

**真是美极了！** 정말 아름다워요!
Zhēn shì měi jí le!

**釜山的天气好极了！** 부산의 날씨는 최고로 좋아요!
Fǔshān de tiānqì hǎo jí le!

**今天走了一天，累极了！** 오늘 하루 종일 걸었더니 무척 피곤해요!
Jīntiān zǒule yì tiān, lèi jí le!

## 4 결과보어 成

'成'이 동사 뒤에서 결과보어로 쓰일 때는 어떤 동작을 한 결과 다른 것으로 변했다는 의미를 나타냅니다. 우리말로 '~가 되다' '~로 변하다'라고 해석합니다.

**现在改成综合文化空间。** 지금은 복합 문화 공간으로 바뀌었어요.
Xiànzài gǎichéng zōnghé wénhuà kōngjiān.

**白天是餐厅，晚上变成酒吧。** 낮에는 식당이었다가 저녁에는 바(bar)로 변해요.
Báitiān shì cāntīng, wǎnshang biànchéng jiǔbā.

**这件衣服可以换成大号吗？** 이 옷을 큰 사이즈로 바꿀 수 있나요?
Zhè jiàn yīfu kěyǐ huànchéng dà hào ma?

### 자주 쓰이는 결과보어

| 동사 | | 형용사 | |
|---|---|---|---|
| **到** dào | 결과나 목적에 도달함 | **好** hǎo | 완성하거나 만족한 상태가 됨 |
| **完** wán | 동작을 완료함 | **光** guāng | 다 써서 빈 상태가 됨 |
| **懂** dǒng | 알거나 이해함 | **错** cuò | 잘못했거나 틀림 |

## 1

녹음을 듣고 그림에 맞게 A, B, C를 써 넣으세요. ◎ Track 07-06

(1)

(       )

(2)

(       )

(3)

(       )

## 2

녹음을 듣고 내용과 일치하면 O, 일치하지 않으면 ✕를 표시해 보세요. ◎ Track 07-07

(1) 电影节已经有30多年的历史了。          (     )

(2) 釜山国际电影节每年十月初举行。       (     )

(3) F1963以前是废弃工厂。              (     )

(4) F1963里有展览馆和庭院等。         (     )

## 3

빈칸에 들어갈 말을 골라 문장을 완성해 보세요.

| 不是 | 多 | 地方 | 极了 |

(1) 电影节有_____长的历史了?

(2) 你_____来过电影节吗?

(3) 那是什么_____?

(4) 明星们穿着礼服走红毯，真是美_____!

4 다음 문장을 중국어로 바꿔 보세요.

(1) 지금은 복합 문화 공간으로 바뀌었어요.

→ _____

(2) 매년 10월 초에 열려요.

→ _____

(3) 그곳엔 뭐가 있나요?

→ _____

(4) 우리 어서 가 봐요.

→ _____


5 다음 그림을 보고 자유롭게 대화를 완성해 보세요.

(1)

A: 你听说过釜山国际电影节吗?

B: _____

(2)

A: F1963里都有什么?

B: _____

## 🗺️ 지도 들여다보기

지도를 보고 부산에 있는 주요 관광지의 위치와 중국어 명칭을 알아봅시다.

### 중국어로 말해 보기

🔘 Track 07-08

❶ 감천문화마을 **甘川文化村**
　 Gānchuān Wénhuàcūn

❷ 국제시장 **国际市场** Guójì Shìchǎng

❸ 부산역 **釜山站** Fǔshān Zhàn

❹ 태종대 **太宗台** Tàizōngtái

❺ 벡스코(BEXCO) **釜山会展中心**
　 Fǔshān Huìzhǎn Zhōngxīn

❻ 광안리 해수욕장 **广安里海水浴场**
　 Guǎng'ānlǐ Hǎishuǐ Yùchǎng

❼ 동백섬 **冬柏岛** Dōngbǎi Dǎo

❽ 해운대 해수욕장 **海云台海水浴场**
　 Hǎiyúntái Hǎishuǐ Yùchǎng

❾ 달맞이길 **迎月路** Yíngyuè Lù

❿ 해동용궁사 **海东龙宫寺** Hǎidōnglónggōng Sì

## 다 함께 알아보기

조별로 다음 질문에 답해 봅시다. 제시된 지도를 활용해도 좋습니다.

1 부산의 주요 관광지 5곳을 알아봅시다.

2 위의 주요 관광지 5곳 중 하나를 선정하여 소개해 봅시다.

3 부산을 대표하는 음식을 알아봅시다.

# 컨벤션 도시, 부산

부산은 **부산국제영화제**와 같은 국제적 규모의 축제가 연중 열리고 천혜의 절경이 함께해 다양한 볼거리와 놀거리가 있는 곳입니다. 또한 부산은 국제적인 MICE 산업 도시로 부상 중입니다. MICE 산업이란 회의(Meeting), 포상관광(Incentives), 컨벤션(Convention), 이벤트 와 전시(Events & Exhibition) 네 분야를 융합한 새로운 산업으로, 좁은 의미에서 국제회의를 뜻하는 '컨벤션'이 회의, 관광, 박람회 이벤트, 전시 등 복합적인 산업 분야로 확대되면서 생긴 개념입니다. 해운대 센텀시티와 벡스코 일대는 MICE 산업의 중심지로, 부산의 신 성 장 동력으로 주목 받고 있습니다.

**해운대**는 오래전부터 산과 강, 바다, 온천이 있는 '**사포지향(四抱之鄉)**'으로 불렸습니다. 해 운대라는 이름은 신라의 학자 최치원의 자인 '해운'에서 유래했습니다. 최치원이 벼슬을 버리고 가야산으로 가던 중 이곳에 들렀다가 달맞이길 일대의 절경에 심취해 떠나지 못하 고 동백섬 남쪽 암벽에 '해운대'라는 세 글자를 음각하면서 이곳의 지명이 됐다고 전해집 니다.

**광안리 해수욕장**은 언제나 젊음의 인파로 가득합니다. 이곳에서는 부산의 랜드마크인 **광안 대교**를 배경 삼아 낭만적인 버스킹 공연도 즐길 수 있습니다. **F1963**은 고려제강의 철강 제 품을 만들던 공장을 개조하여 만든 복합 문화 공간으로 공장의 옛 골격을 그대로 볼 수 있 습니다. 철강 공장이었기 때문인지 철근이 노출된 인테리어가 많이 사용되었고 예전에 사 용하던 설비들도 어렵지 않게 볼 수 있습니다.

해운대에서 약 10분 정도의 거리에 있으며, 미역으로 유명한 **기장** 지역은 요즘 부산에서 새롭게 떠오르는 명소입니다. 왼쪽에는 호텔과 리조트, 오른쪽에는 부산 바다를 두고 동암 해안길을 거닐며 평화로운 분위기를 즐길 수 있는 곳입니다.

# 한국의 국물 요리

뜨끈한 국부터 시원한 냉국까지 우리나라만큼 국물 요리가 발달한 나라도 드뭅니다. 매끼 밥상에 국물 요리가 등장할 뿐 아니라 잔칫상에도 국물 요리가 빠지지 않습니다. 생일날 먹는 미역국, 설에 먹는 떡국, 결혼식에 먹는 갈비탕까지 우리나라의 국물 요리는 무궁무진합니다. 국물 요리는 조리 방법과 상에 내는 방식, 먹는 방식 등에 따라 국, 탕, 찌개, 전골 등 크게 네 종류로 나뉩니다.

## 국

국물이 주를 이루고 **국물과 건더기의 비율이 6:4 또는 7:3 정도**로 구성됩니다. 개인 그릇에 담아내며 상에 올린 뒤에는 별도의 양념을 하지 않습니다.

## 탕

**국물을 주로 먹는 음식**으로 국보다는 비교적 조리 시간이 깁니다. 개인 그릇에 담아내지만 국과 달리 상에 올린 뒤에 소금, 파 등의 **부수적인 양념이 가미**될 수 있습니다. 곰탕, 갈비탕, 설렁탕 등이 있습니다.

## 찌개

국이나 탕에 비해 **국물이 자작한 것이 특징**입니다. 국물과 건더기의 비율이 4:6 정도로 건더기를 주로 먹는 음식이며 국보다 간간합니다. 국과 달리 찌개는 한 그릇을 상에 올리고 각자 덜어 먹습니다.

## 전골

전골은 냄비에 고기, 내장, 해물, 버섯, 채소 등 원재료를 넣고 미리 준비한 육수를 부은 다음 **상에서 직접 익혀 먹는 음식**입니다. 국물이 줄어들면 육수를 계속 부어 가면서 먹습니다. 곱창전골, 낙지전골 등이 있습니다.

**国际**
guójì
국제

| 国 | 际 | | | | | |

丨 冂 冂 冃 国 国 国 国

乛 阝 阝 阝 阡 阡 际 际

**礼服**
lǐfú
파티복

| 礼 | 服 | | | | | |

丶 ﾞ ﾈ ネ 礼

丿 几 月 月 肝 服 服 服

**红毯**
hóngtǎn
레드카펫

| 红 | 毯 | | | | | |

ﾙ ﾙ ﾙ 纟 红 红 红

ˊ 二 三 毛 毛 毛 毡 毯 毯 毯 毯 毯

**废弃**
fèiqì
버리다

| 废 | 弃 | | | | | |

丶 宀 广 广 庐 庐 废 废

丶 亠 云 云 竺 弃 弃

**综合**
zōnghé
종합

| 综 | 合 | | | | | |

ﾙ ﾙ ﾙ 纟 纟 纩 纩 纩 纩 综 综

丿 人 人 合 合 合

**庭院**
tíngyuàn
마당

| 庭 | 院 | | | | | |

丶 宀 广 广 庁 庄 庭 庭

乛 阝 阝 阝 阡 院 院 院 院

110

# 제주 바다를 보니
# 참 편안해요!

看到济州的大海，真舒服！

## 회화 1 성산일출봉

Track 08-01

A 看到济州的大海，真舒服！
Kàndào Jìzhōu de dàhǎi, zhēn shūfu!

B 是啊，这一大片油菜花也是美极了。
Shì a, zhè yí dà piàn yóucàihuā yě shì měi jí le.

A 我们在这儿照张相吧。
Wǒmen zài zhèr zhào zhāng xiàng ba.

B 那儿还有跑马场呢。
Nàr hái yǒu pǎomǎchǎng ne.

A 我真想骑马！
Wǒ zhēn xiǎng qí mǎ!

B 还是先登城山日出峰，再骑马吧。
Háishi xiān dēng Chéng Shān Rìchū Fēng, zài qí mǎ ba.

🔘 Track 08-02

A 我是个K-POP迷。
　　Wǒ shì ge K-POP mí.

B 济州有个K-POP博物馆，很有人气。
　　Jìzhōu yǒu ge K-POP bówùguǎn, hěn yǒu rénqì.

A 听说，在一楼可以看到全息影像演唱会。
　　Tīngshuō, zài yì lóu kěyǐ kàndào quánxī yǐngxiàng yǎnchànghuì.

B 是啊。二楼还可以体验与明星互动。
　　Shì a. Èr lóu hái kěyǐ tǐyàn yǔ míngxīng hùdòng.

A 三楼有红毯拍照区吧？
　　Sān lóu yǒu hóngtǎn pāizhàoqū ba?

B 对。我们可以去体验一下当明星的感觉。
　　Duì. Wǒmen kěyǐ qù tǐyàn yíxià dāng míngxīng de gǎnjué.

# 새 단어 익히기

济州 Jìzhōu **고유** 제주[지명]

大海 dàhǎi **명** 넓은 바다, 대해

舒服 shūfu **형** 편안하다, 상쾌하다

片 piàn **양** 뙈기, 배미[논이나 밭을 세는 단위]

油菜花 yóucàihuā **명** 유채꽃

也 yě **부** ~도, 역시

照相 zhàoxiàng **동** 사진을 찍다

跑马场 pǎomǎchǎng **명** 경마장

想 xiǎng **조동** ~하고 싶다, ~하기를 바라다

骑 qí **동** (동물이나 자전거 등을) 타다

马 mǎ **명** 말

还是 háishi **부** ~하는 편이 좋다

先……再…… xiān……zài……
먼저 ~하고, 그 다음에 ~하다

登 dēng **동** 오르다, 올라가다

城山日出峰 Chéng Shān Rìchū Fēng
**고유** 성산일출봉[제주도 서귀포시 성산읍 소재]

迷 mí **명** 팬, 애호가

博物馆 bówùguǎn **명** 박물관

人气 rénqì **명** 인기

全息影像 quánxī yǐngxiàng
**명** 홀로그램

演唱会 yǎnchànghuì **명** 콘서트, 음악회

与 yǔ **접** ~와

互动 hùdòng **동** 함께하다, 상호작용하다

拍照区 pāizhàoqū **명** 포토존

当 dāng **동** ~가 되다, 맡다, 담당하다

感觉 gǎnjué **명** 느낌, 감각

● Track 08-04

● 济州岛的自然景观非常美丽。

Jìzhōu Dǎo de zìrán jǐngguān fēicháng měilì.

제주도의 자연 경관은 아름답습니다.

● 济州有哪些美食？

Jìzhōu yǒu nǎxiē měishí?

제주에는 어떤 별미가 있습니까?

● 西归浦里有很多景点。

Xīguīpǔ li yǒu hěn duō jǐngdiǎn.

서귀포에는 많은 볼거리가 있습니다.

● 济州岛的"三多"是"风多、石头多、女人多"的意思。

Jìzhōu Dǎo de "sān duō" shì "fēng duō、shítou duō、nǚrén duō" de yìsi.

제주도의 '삼다'는 '바람이 많고 돌이 많으며 여자가 많다'라는 뜻입니다.

## +플러스 단어

● Track 08-05

海女 hǎinǚ 해녀

潜水 qiánshuǐ (해녀의) 물질, 잠수

多尔哈鲁邦 Duō'ěrhālǔbāng 돌하르방

特产 tèchǎn 명물, 특산품

鲍鱼 bàoyú 전복

银带鱼 yíndàiyú 은갈치

黑猪肉 hēizhūròu 흑돼지

桔子巧克力 júzi qiǎokèlì 귤 초콜릿

汉拿山 Hànná Shān 한라산

神奇之路 Shénqí Zhī Lù 도깨비도로

如美地植物园 Rúměidì Zhíwùyuán 여미지 식물원

中文旅游区 Zhōngwén Lǚyóuqū 중문 관광단지

## 1 조동사 想

'想'은 '~하고 싶다' '~하기를 바라다'의 의미로 화자의 주관적인 바람, 희망을 나타냅니다.

**我真想骑马!** 저는 말을 타고 싶어요!
Wǒ zhēn xiǎng qí mǎ!

**我想去韩国旅游。** 저는 여행하러 한국에 가고 싶어요.
Wǒ xiǎng qù Hánguó lǚyóu.

**我想在济州岛住一个月。** 저는 제주도에서 한 달 머무르고 싶어요.
Wǒ xiǎng zài Jìzhōu Dǎo zhù yí ge yuè.

'想' 외에 자주 쓰이는 조동사 '要'는 '~하려고 하다' '~할 예정이다'의 의미로 화자의 의지를 나타냅니다. '要'는 의지를 강조하여 행위의 실현 가능성이 높은 반면, '想'은 소망을 나타내므로 실현 가능성과 무관합니다.

**今天我们要吃黑猪肉。** 오늘 저희는 흑돼지를 먹을 겁니다.
Jīntiān wǒmen yào chī hēizhūròu.

## 2 부사 还是

'还是'는 여러 상황 중 하나를 선택해 상대방에게 제안할 때 쓰입니다. 우리말의 '~하는 것이 좋다' '~하는 편이 낫다'의 의미이며, 주로 문장 끝에 '吧'가 함께 쓰입니다.

**还是先登城山日出峰吧。** 먼저 성산일출봉에 오르는 것이 좋겠어요.
Háishi xiān dēng Chéng Shān Rìchū Fēng ba.

**你们还是先休息一下吧。** 당신들은 아무래도 우선 좀 쉬는 것이 좋겠어요.
Nǐmen háishi xiān xiūxi yíxià ba.

**晚上我们还是看演唱会吧。** 저녁에 우리는 공연을 보는 편이 낫겠어요.
Wǎnshang wǒmen háishi kàn yǎnchànghuì ba.

## 3 先……再……

'先＋동사1＋再＋동사2' 형식은, 앞뒤 두 가지 일이 잇따라 발생함을 나타내는데, 두 일이 일어난 순서를 강조합니다. 우리말의 '먼저 ~하고, 그 다음에 ~하다'에 해당합니다. '再' 대신 '然后 ránhòu'를 사용하기도 합니다.

**先登城山日出峰，再骑马吧。** 먼저 성산일출봉에 오르고, 그 다음에 말을 탑시다.
Xiān dēng Chéng Shān Rìchū Fēng, zài qí mǎ ba.

**我们先吃饭，再去酒店。** 우리 먼저 식사하고, 그런 후에 호텔에 갑시다.
Wǒmen xiān chī fàn, zài qù jiǔdiàn.

**你先预订，我们然后去餐厅。** 당신이 먼저 예약한 다음에, 우리 식당으로 갑시다.
Nǐ xiān yùdìng, wǒmen ránhòu qù cāntīng.

## 4 동사 当

'当'은 '담당하다' '맡다'라는 뜻으로, 회화 본문에서는 '当＋직업/직무'의 형식으로 쓰여 '~가 되다' '~의 역할을 담당하다'의 의미로 쓰였습니다.

**我们可以去体验一下当明星的感觉。** 우리는 스타가 되는 느낌을 체험해 볼 수 있어요.
Wǒmen kěyǐ qù tǐyàn yíxià dāng míngxīng de gǎnjué.

**我以后想当乘务员。** 나는 이다음에 승무원이 되고 싶어요.
Wǒ yǐhòu xiǎng dāng chéngwùyuán.

**他今年当导游了。** 그는 올해 관광가이드가 되었습니다.
Tā jīnnián dāng dǎoyóu le.

## 실력 향상하기

**1** 녹음을 듣고 그림에 맞게 A, B, C를 써 넣으세요. ◉ Track 08-06

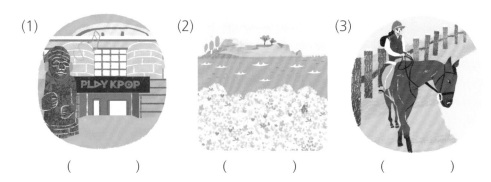

(1) (       )       (2) (       )       (3) (       )

**2** 녹음을 듣고 내용과 일치하면 ○, 일치하지 않으면 ✗를 표시해 보세요. ◉ Track 08-07

(1) 我们在这儿照张相吧。              (      )

(2) 那儿还有跑马场呢。                 (      )

(3) 我不是K-POP迷。                  (      )

(4) 在一楼可以看到全息影像演唱会。     (      )

**3** 빈칸에 들어갈 말을 골라 문장을 완성해 보세요.

先     人气     舒服     当

(1) 看到济州的大海，真_____！

(2) 还是_____登城山日出峰，再骑马吧。

(3) 济州有个K-POP博物馆，很有_____。

(4) 我们可以去体验一下_____明星的感觉。

118

4  다음 문장을 중국어로 바꿔 보세요.

(1) 2층에서는 스타와 함께하는 체험도 할 수 있어요.

→ _____

(2) 저는 말을 타고 싶어요!

→ _____

(3) 이 유채꽃밭도 정말 아름다워요.

→ _____

(4) 3층에는 레드카펫 포토존이 있죠?

→ _____


5  다음 그림을 보고 자유롭게 대화를 완성해 보세요.

(1)

A: 你看过济州的大海吗?

B: _____

(2)

A: 你去过K-POP博物馆吗?

B: _____

## 🧭 지도 들여다보기

지도를 보고 제주에 있는 주요 관광지의 위치와 중국어 명칭을 알아봅시다.

### 중국어로 말해 보기

🎧 Track 08-08

① 제주국제공항 **济州国际机场**
   Jìzhōu Guójì Jīchǎng

② 제주도립미술관 **济州道立美术馆**
   Jìzhōu Dàolì Měishùguǎn

③ 제주경마공원 **济州赛马公园**
   Jìzhōu Sàimǎ Gōngyuán

④ 한라산 **汉拿山** Hànná Shān

⑤ 제주현대미술관 **济州现代美术馆**
   Jìzhōu Xiàndài Měishùguǎn

⑥ 본태미술관 **本态美术馆** Běntài Měishùguǎn

⑦ 플레이케이팝박물관 **PLAY K-POP博物馆**
   PLAY K-POP bówùguǎn

⑧ 천제연폭포 **天帝渊瀑布** Tiāndìyuān Pùbù

⑨ 제주민속촌 **济州民俗村** Jìzhōu Mínsúcūn

⑩ 성산일출봉 **城山日出峰** Chéng Shān Rìchū Fēng

## 다 함께 알아보기

조별로 다음 질문에 답해 봅시다. 제시된 지도를 활용해도 좋습니다.

1 한류와 관련 있는 제주의 관광지를 알아봅시다.

2 위의 관광지 중 한 곳을 선정하여 자세히 소개해 봅시다.

3 제주의 특산품과 꼭 먹어 봐야 할 음식을 알아봅시다.

# 제주의 미술관

© Kim Myoungsung, Flickr

제주도는 미술관 투어를 계획해도 될 만큼 미술관이 많은데 그중에서도 특히 **현대미술 작품**이 전시된 미술관이 많습니다. 제주의 미술관은 건축물도 아름답고 작품 수준도 높아 신선한 자극을 받으며 감성을 충전할 수 있습니다.

## 본태박물관

'본래의 형태'라는 뜻의 이름을 가진 본태박물관은 일본인 건축가 안도 타다오가 설계한 건물로 유명합니다. 그의 트레이드 마크인 **노출 콘크리트**가 기와, 한국 전통 문양 등 한국적인 요소와 조화를 이루고, 제주 중산간의 풍경까지 절묘하게 어우러져 아름다운 외관을 자랑합니다. 본태미술관에서는 **현대미술가 쿠사마 야요이**의 설치 미술을 만날 수 있습니다. 이외에도 **백남준과 살바도르 달리** 등 국립미술관에서도 보기 어려운 거장의 작품이 소장되어 있습니다.

## 제주도립미술관

제주도립미술관은 한라산 중턱에 자리하여 풍경 자체가 하나의 작품 같은 곳으로, 미술관 바닥에 자박하게 깔린 **거울 연못**에 건물이 반사되어 무채색의 빈 공간을 확장합니다. 난해하지 않은 작품이 많아 아이들과 함께 방문하기에도 좋습니다.

## 제주현대미술관

제주현대미술관은 제주의 예술인이 모여 사는 **저지리 문화 예술인 마을**에 자리하고 있습니다. 제주현대미술관을 중심으로 갤러리와 한옥, 조각공원이 있어 트래킹 코스로 제격입니다.

# 제주 올레

대한민국 걷기 여행의 열풍을 처음 일으킨 곳은 우리나라에서 가장 큰 관광 도시이자 섬 전체가 관광 자원과 위락 시설로 가득한 제주입니다. 제주도 걷기 여행길을 '올레'라고 부르는데 올레란 '집에서 거리까지 나가는 작은 길'을 뜻하는 제주 방언입니다. 제주 올레를 경험한 여행객은 하나같이 올레가 제주 여행의 새 지평을 열었다고 극찬합니다.

**올레 코스는 총 26개가 있으며, 제주 올레길의 전체 길이는 420km**에 달합니다. 제주도 한 바퀴의 길이가 250km 남짓인 것을 생각해 보면, 올레를 따라 걷는 것이 제주의 구석구석을 모두 살펴볼 수 있는 확실한 방법인 것이 분명해집니다. 비영리 사단법인에서 운영하고 있는 제주 올레는 공식 슬로건 '놀멍 쉬멍 걸으멍 고치 가는 길(놀면서 쉬면서 걸으면서 함께 가는 길)'을 기치로, 옛날 제주 사람들이 걸어 다녔던 길을 찾아 잇고, 가능하면 토목 공사를 하지 않고 자연 그대로를 즐기며 걸을 수 있는 코스를 찾아 소개하고 있습니다.

올레 여행자들을 안내하는 표지는 여러 형태가 있습니다. 제주의 푸른 바다를 상징하는 파란색 리본과 제주의 감귤을 상상하는 주황색 리본을 하나로 묶어 전봇대와 나뭇가지에 매달아 두거나, 길바닥, 돌담, 전봇대 등에 화살표를 그려 두기도 하고, 나무 화살표가 길가에 설치되어 있기도 합니다. 제주의 풍광과 향기에 취해 깜빡 길을 잘못 들어도 **길을 잃을 염려가 없도록 곳곳에 안내 표지가 준비되어 있습니다.**

제주 올레 공식 홈페이지(www.jejuolle.org)에서는 올레 코스에 대한 자세한 정보와 함께 **맞춤형 올레를 추천해 주는 서비스**도 제공하고 있으니, 올레를 따라 걷는 제주 여행을 계획하고 있다면 자신에게 맞는 코스를 찾아 보는 것도 좋습니다.

## 济州
Jìzhōu
제주

济 州

丶 亠 氵 汸 泸 泸 泲 济

丶 刂 丬 州 州 州

## 舒服
shūfu
편안하다

舒 服

丿 亼 亼 亼 全 舍 舍 舍 舒 舒

丿 几 月 月 肜 胙 服 服

## 照相
zhàoxiàng
사진을 찍다

照 相

丨 冂 日 日 旫 旫 昭 昭 昭 照 照 照 照

一 十 才 木 村 相 相 相 相

## 还是
háishi
~하는 편이 좋다

还 是

一 丆 才 不 不 还 还

丨 冂 日 日 旦 早 早 是 是 是

## 人气
rénqì
인기

人 气

丿 人

丿 亠 气 气

## 互动
hùdòng
함께하다

互 动

一 丆 互 互

一 二 亍 云 动 动

# 한국 드라마에는 어떤 음식들이 자주 나오나요?

韩剧里常出现哪些美食？

회화 **1** 드라마 촬영지

Track 09-01

A 我们今天去小法兰西。
Wǒmen jīntiān qù Xiǎofǎlánxī.

B 那就是韩剧《来自星星的你》的拍摄场吧?
Nà jiù shì hánjù 《Láizì Xīngxing De Nǐ》 de pāishèchǎng ba?

A 是啊。顺路还可以到晨静树木园。
Shì a. Shùnlù hái kěyǐ dào Chénjìng Shùmùyuán.

B 那是什么地方?
Nà shì shénme dìfang?

A 那里是《云画的月光》的拍摄场。
Nàli shì 《Yún Huà De Yuèguāng》 de pāishèchǎng.

可以欣赏韩式庭园之美。
Kěyǐ xīnshǎng hánshì tíngyuán zhī měi.

B 真是太棒了!
Zhēn shì tài bàng le!

## 2 한국 드라마 속 음식

A 韩剧里的韩食看起来非常好吃。
　　Hánjù li de hánshí kàn qǐlai fēicháng hǎochī.

B 是啊。韩剧里常出现哪些美食?
　　Shì a. Hánjù li cháng chūxiàn nǎxiē měishí?

A 有烤肉、参鸡汤、辣炒年糕等等。
　　Yǒu kǎoròu、shēnjītāng、làchǎoniángāo děngdeng.

B 听你一说我也就想吃韩食了。
　　Tīng nǐ yì shuō wǒ yě jiù xiǎng chī hánshí le.

A 听说有专门给外国人开的韩食课程。
　　Tīngshuō yǒu zhuānmén gěi wàiguórén kāi de hánshí kèchéng.

B 那我们也去学一学。
　　Nà wǒmen yě qù xué yi xué.

CHAPTER 09 ● **127**

# 새 단어 익히기

Track 09-03

小法兰西 Xiǎofǎlánxī
고유 쁘띠프랑스[경기도 가평 소재의 프랑스 테마파크]

韩剧 hánjù
명 한국 드라마['韩国电视剧'를 줄인 말]

来自星星的你 Láizì Xīngxing De Nǐ
고유 별에서 온 그대[2013년에 방영된 한국 드라마]

拍摄场 pāishèchǎng 명 촬영장

顺路 shùnlù 부 가는 길에, 가는 김에

到 dào 동 이르다, 도착하다

晨静树木园 Chénjìng Shùmùyuán
고유 아침고요수목원[경기도 가평 소재의 수목원]

云画的月光 Yún Huà De Yuèguāng
고유 구르미 그린 달빛[2016년에 방영된 한국 드라마]

欣赏 xīnshǎng 동 감상하다

韩式 hánshì 형 한국식의

庭园 tíngyuán 명 정원, 화원

之 zhī 조 ~의

太……了 tài……le 매우 ~하다

棒 bàng 형 멋지다, (수준이) 높다, 뛰어나다

韩食 hánshí 명 한국 음식, 한식

看起来 kàn qǐlai 보아하니, 보기에

非常 fēicháng 부 매우

好吃 hǎochī 형 맛있다

常 cháng 부 자주, 언제나, 늘

出现 chūxiàn 동 출현하다, 나타나다

哪些 nǎxiē 대 어떤, 어느

辣炒年糕 làchǎoniángāo 명 떡볶이

听 tīng 동 듣다

一……就…… yī……jiù……
동 ~하자마자 바로 ~하다, ~하기만 하면 ~하다

说 shuō 동 말하다

专门 zhuānmén 부 전문적으로, 특별히

外国人 wàiguórén 명 외국인

开 kāi 동 열다

课程 kèchéng 명 교육 과정, 커리큘럼

学 xué 동 배우다, 학습하다

🔊 Track 09-04

- 小法兰西在京畿道加平。

  Xiǎofǎlánxī zài Jīngjī Dào Jiāpíng.

  쁘띠프랑스는 경기도 가평에 있습니다.

- 在树木园可以享受森林浴。

  Zài shùmùyuán kěyǐ xiǎngshòu sēnlínyù.

  수목원에서 삼림욕을 즐길 수 있습니다.

- 你看过哪些韩剧?

  Nǐ kànguo nǎxiē hánjù?

  당신은 어떤 한국 드라마를 본 적이 있습니까?

- 南怡岛是《冬季恋歌》的拍摄场。

  Nányí Dǎo shì 《Dōngjì Liàngē》 de pāishèchǎng.

  남이섬은 「겨울연가」의 촬영장입니다.

# ➕플러스 단어

🔊 Track 09-05

热门 rèmén 인기 있는 것

排行榜 páihángbǎng 순위, 순위표

频道 píndào 채널

导演 dǎoyǎn 감독

爱情剧 àiqíngjù 멜로드라마

搞笑剧 gǎoxiàojù 코미디드라마

古装剧 gǔzhuāngjù 시대극

恐怖剧 kǒngbùjù 공포드라마

综艺 zōngyì 예능 프로그램, 버라이어티쇼

动作片 dòngzuòpiàn 액션 영화

纪录片 jìlùpiàn 다큐멘터리

动漫片 dòngmànpiàn 애니메이션

## 1 조사 之

'之'는 소유 관계나 수식 관계를 나타내며 우리말 '~의'로 해석합니다. 의미상으로는 입말의 '的'와 같지만 '之'는 주로 글말에 사용됩니다.

**可以欣赏韩式庭园之美。** 한국식 정원의 아름다움을 감상할 수 있어요.
Kěyǐ xīnshǎng hánshì tíngyuán zhī měi.

**釜山有很多美食，其中之一是鱼饼。**
Fǔshān yǒu hěn duō měishí, qízhōng zhī yī shì yúbǐng.
부산에는 많은 맛있는 음식들이 있는데 그중 하나는 어묵이다.

**失败是成功之母。** 실패는 성공의 어머니이다.
Shībài shì chénggōng zhī mǔ.

## 2 太……了

'太 + 형용사/동사 + 了'는 '매우 ~하다'라는 뜻으로 놀람 · 칭찬 · 감탄 등이나 정도가 심함을 나타냅니다.

**真是太棒了！** 정말 굉장하네요!
Zhēn shì tài bàng le!

**能看到我喜欢的明星真是太高兴了！** 제가 좋아하는 스타를 볼 수 있다니 정말 기뻐요!
Néng kàndào wǒ xǐhuan de míngxīng zhēn shì tài gāoxìng le!

**穿韩服体验韩国文化太有意思了！** 한복을 입고 한국 문화를 체험하는 건 정말 재미있어요!
Chuān hánfú tǐyàn Hánguó wénhuà tài yǒu yìsi le!

## 3 방향보어 起来

방향보어는 동사 뒤에 위치하여 동작의 진행 방향을 나타냅니다. 회화 본문에서의 방향보어 '起来'는 동사 '看'과 결합하여 '보아하니' '보기에'라는 뜻으로 해석되며, 어떤 대상에 대한 화자의 짐작·추측·평가를 나타냅니다.

**韩剧里的韩食看起来非常好吃。** 한국 드라마 속의 한국 음식은 정말 맛있어 보여요.
Hánjù li de hánshí kàn qǐlai fēicháng hǎochī.

**这些泡菜看起来很辣。** 이 김치들은 매워 보여요.
Zhèxiē pàocài kàn qǐlai hěn là.

**韩剧里的演员们看起来都很漂亮。** 한국 드라마의 배우들은 보아하니 모두 예뻐요.
Hánjù li de yǎnyuánmen kàn qǐlai dōu hěn piàoliang.

## 4 一……就……

'一……就……'는 연속 관계를 나타내는 표현으로 두 가지 일이나 상황이 연이어 발생함을 나타내거나, 어떤 조건이 충족되면 어떤 결과가 뒤따름을 나타냅니다. 우리말의 '~하자마자 바로 ~하다' '~하기만 하면 ~하다'라는 뜻으로 해석됩니다. 주어는 같을 수도 있고 다를 수도 있습니다. 이 문형에서 '一'는 수사가 아니라 '~하자마자' '~하기만 하면'의 의미인 부사로 쓰였으며, '就' 대신에 '便 biàn'을 사용하기도 합니다.

**听你一说我也就想吃韩食了。** 당신 말을 들으니 저도 한국 음식이 먹고 싶어졌어요.
Tīng nǐ yì shuō wǒ yě jiù xiǎng chī hánshí le.

**她一到韩国就吃辣炒年糕。** 그녀는 한국에 오기만 하면 떡볶이를 먹어요.
Tā yí dào Hánguó jiù chī làchǎoniángāo.

**他一毕业就找到工作了。** 그는 졸업하자마자 바로 일자리를 찾았어요.
Tā yí bìyè jiù zhǎodào gōngzuò le.

1 녹음을 듣고 그림에 맞게 A, B, C를 써 넣으세요. 🔘 Track 09-06

(1)

( )

(2)

( )

(3)

( )

2 녹음을 듣고 내용과 일치하면 〇, 일치하지 않으면 ✕를 표시해 보세요. 🔘 Track 09-07

(1) 顺路还可以到小法兰西。 （ ）

(2) 那里是《云画的月光》的拍摄场。 （ ）

(3) 韩剧里的韩食看起来非常好吃。 （ ）

(4) 听说有专门给韩国人开的韩食课程。 （ ）

3 빈칸에 들어갈 말을 골라 문장을 완성해 보세요.

吧 之 棒 等等

(1) 真是太_____了！

(2) 可以欣赏韩式庭院_____美。

(3) 有烤肉、参鸡汤、辣炒年糕_____。

(4) 那就是韩剧《来自星星的你》的拍摄场_____？

4 다음 문장을 중국어로 바꿔 보세요.

(1) 우리는 오늘 쁘띠프랑스에 갑니다.

→ _____

(2) 그곳은 어떤 곳이에요?

→ _____

(3) 당신 말을 들으니 저도 한국 음식이 먹고 싶어졌어요.

→ _____

(4) 그럼 우리도 가서 배워 봐요.

→ _____


5 다음 그림을 보고 자유롭게 대화를 완성해 보세요.

(1)

A: 韩剧里常出现哪些美食?

B: _____

(2)

A: 晨静树木园是什么地方?

B: _____

# 활동 수행하기

활동

## 🗺️ 지도 들여다보기

지도를 보고 가평에 있는 주요 관광지의 위치와 중국어 명칭을 알아봅시다.

### 중국어로 말해 보기
🔊 Track 09-08

❶ 이화원
二和园
Èrhéyuán

❷ 자라섬
龟岛
Guī Dǎo

❸ 남이섬
南怡岛
Nányí Dǎo

❹ 아침고요수목원
晨静树木园
Chénjìng Shùmùyuán

❺ 청평호
清平湖
Qīngpíng Hú

❻ 쁘띠프랑스
小法兰西
Xiǎofǎlánxī

❼ 에델바이스
스위스 테마파크
雪绒花瑞士主题公园
Xuěrónghuā Ruìshì Zhǔtí
Gōngyuán

❽ 국립유명산자연휴양림
国立有明山自然休养林
Guólì Yǒumíngshān
Zìrán Xiūyǎnglín

## 다 함께 알아보기

조별로 다음 질문에 답해 봅시다.

**1** 해외에서 인기를 끈 한국 드라마를 알아봅시다.

**2** 한국 드라마 촬영지 중 한 곳을 선정하여 소개해 봅시다.

**3** 한국 드라마에 등장해서 해외에서 유명해진 한국 음식을 알아봅시다.

# 드라마 촬영지

관광객들이 드라마 촬영지를 찾는 것은 하나의 관광 문화가 되었습니다. 「태양의 후예」, 「별에서 온 그대」, 「꽃보다 남자」 등 한국 드라마의 인기는 중국은 물론 동남아시아까지 그 열기가 번졌습니다. 드라마 주인공들이 직접 연기를 펼친 바로 그 장소를 여행하는 일은 드라마를 즐기는 여행자에게 잊지 못할 추억이 될 것입니다.

「태양의 후예」 촬영지, 정선 삼탄아트마인

「별에서 온 그대」 촬영지, 남산서울타워

「꽃보다 남자」 촬영지, 반포대교 달빛무지개분수

# 서울의
# 삼계탕 맛집

우리나라는 더위가 극심한 초복, 중복, 말복에 몸에 좋은 보양 음식을 챙겨 먹는 풍습이 있는데 그중 가장 인기 있는 음식은 바로 **삼계탕**입니다. 든든하게 몸보신할 수 있는 서울의 삼계탕 맛집을 소개합니다.

### 최초의 삼계탕 전문점 '고려삼계탕'

닭고기는 오래전부터 우리나라 식문화에서 빠지지 않는 주재료였지만, **삼계탕이 본격적으로 알려지기 시작한 것은 고려삼계탕과 함께라고 해도 과언이 아닙니다.** 가업으로 2대째 이어져 내려온 고려삼계탕은 100년의 역사를 자랑하는 음식점이 되었고, 서울을 찾는 관광객의 발길도 끊기지 않는 관광 명소로 자리 잡았습니다. (서울특별시 중구 서소문로11길 1)

### 다양한 종류의 삼계탕을 즐길 수 있는 '토속촌삼계탕'

서촌에 위치한 토속촌삼계탕은 **다양한 종류의 삼계탕을 만날 수 있는 곳입니다.** 일반적인 삼계탕부터 오골계 삼계탕, 옻계탕, 전기구이 통닭, 닭백숙, 산삼 배양근 삼계탕까지 다양한 삼계탕과 한국식 닭 요리를 맛볼 수 있습니다. (서울특별시 종로구 자하문로5길 5)

### 들깨로 맛을 낸 '호수삼계탕'

짠맛이나 기름기 없이 담백하고 구수한 국물을 즐길 수 있는 삼계탕집입니다. 닭 머리, 닭발과 들깨, 찹쌀, 땅콩, 참깨가루 등을 끓여 만든 육수에 1시간 반 동안 삶은 영계를 담아내는 진국 삼계탕을 선보입니다. (서울특별시 영등포구 도림로 282)

## 韩剧
hánjù
한국 드라마

韩 剧

一 十 十 古 占 古 直 卓 卓 車 韩 韩

ㄱ ㄱ 尸 尸 尸 尸 居 居 居 剧

## 顺路
shùnlù
가는 길에

顺 路

丿 刂 刂 刂 刂 刂 顺 顺 顺

丨 口 口 口 咚 呈 呈 跣 跘 路 路 路 路

## 欣赏
xīnshǎng
감상하다

欣 赏

一 丁 斤 斤 斤 斤 欣 欣

丨 ⺌ 丷 ⺍ 尚 尚 尚 党 常 赏 赏

## 庭园
tíngyuán
정원

庭 园

丶 一 广 广 广 庐 庄 庭 庭

丨 冂 冂 冃 冃 园 园

## 专门
zhuānmén
전문적으로

专 门

一 二 专 专

丶 冂 门

## 课程
kèchéng
교육 과정

课 程

丶 讠 讠 讠 讵 诨 课 课 课

一 二 千 千 禾 禾 积 积 稈 稈 程 程

138

# 이태원을 '서울의 작은 지구촌'이라고도 부르지요.

梨泰院也叫"首尔小地球村"。

## 회화 1 서울의 작은 지구촌

Track 10-01

A 这儿不但外国公馆多，而且外国人也很多。
Zhèr búdàn wàiguó gōngguǎn duō, érqiě wàiguórén yě hěn duō.

B 所以梨泰院也叫"首尔小地球村"。
Suǒyǐ Lítàiyuàn yě jiào "Shǒu'ěr xiǎo dìqiúcūn".

A 梨泰院每年十月举办庆典。
Lítàiyuàn měi nián shí yuè jǔbàn qìngdiǎn.

B 平时也可以尝到各国的美食。
Píngshí yě kěyǐ chángdào gè guó de měishí.

A 你看那儿有土耳其餐厅。
Nǐ kàn nàr yǒu Tǔ'ěrqí cāntīng.

B 我们先吃土耳其美食，然后去甜品店吧。
Wǒmen xiān chī Tǔ'ěrqí měishí, ránhòu qù tiánpǐndiàn ba.

🔴 Track **10-02**

A 梨泰院的夜景很有情趣。
Lítàiyuàn de yèjǐng hěn yǒu qíngqù.

B 是啊！有很多餐厅和酒吧。
Shì a! Yǒu hěn duō cāntīng hé jiǔbā.

A 外国人也不少呀。他们边听音乐边聊天。
Wàiguórén yě bù shǎo ya. Tāmen biān tīng yīnyuè biān liáotiān.

B 有的人喝咖啡，有的人喝啤酒。
Yǒude rén hē kāfēi, yǒude rén hē píjiǔ.

A 好像是到了欧洲的感觉。
Hǎoxiàng shì dàole Ōuzhōu de gǎnjué.

B 今晚我们去梨泰院的歌舞厅，怎么样？
Jīnwǎn wǒmen qù Lítàiyuàn de gēwǔtīng, zěnmeyàng?

A 好主意！
Hǎo zhǔyì!

# 새 단어 익히기

不但……而且…… búdàn……érqiě……
～뿐만 아니라 또한 ～하다

外国 wàiguó 명 외국

公馆 gōngguǎn 명 (재외) 공관

所以 suǒyǐ 접 그래서, 그런 까닭에

梨泰院 Lítàiyuàn
고유 이태원[서울시 용산구 소재]

小 xiǎo 형 작다

地球村 dìqiúcūn 명 지구촌

举办 jǔbàn 동 개최하다, 거행하다

庆典 qìngdiǎn 명 축제, 축하 의식

平时 píngshí 명 평소, 평상시

国 guó 명 나라, 국가

土耳其 Tǔ'ěrqí 고유 터키[나라 이름]

餐厅 cāntīng 명 식당

甜品店 tiánpǐndiàn 명 디저트 가게

夜景 yèjǐng 명 야경

情趣 qíngqù 명 정취, 흥취

酒吧 jiǔbā 명 바, 술집

少 shǎo 형 적다

呀 ya 조 [문장 끝에 쓰여 감탄을 나타냄]

边……边…… biān……biān……
～하면서 ～하다

音乐 yīnyuè 명 음악

聊天 liáotiān 동 이야기를 나누다, 한담하다

有的 yǒude 대 어떤 사람, 어떤 것

好像 hǎoxiàng 부 마치 ～한 것 같다

欧洲 Ōuzhōu 고유 유럽

歌舞厅 gēwǔtīng 명 클럽, 나이트클럽

主意 zhǔyì 명 생각, 의견, 방법

● Track 10-04

● 梨泰院有很多异国风情的饭馆和咖啡厅。
  Lítàiyuàn yǒu hěn duō yìguó fēngqíng de fànguǎn hé kāfēitīng.

이태원에는 이국적인 식당과 카페가 많습니다.

● 请问，特大号专卖店在哪里?
  Qǐngwèn, tèdà hào zhuānmàidiàn zài nǎli?

실례지만, 빅사이즈 전문 매장은 어디에 있습니까?

● 每年10月31日有万圣节活动。
  Měi nián shí yuè sānshíyī rì yǒu Wànshèng Jié huódòng.

매년 10월 31일에 핼러윈 행사가 있습니다.

● 梨泰院的甜品店很受年轻人的欢迎。
  Lítàiyuàn de tiánpǐndiàn hěn shòu niánqīngrén de huānyíng.

이태원의 디저트 가게는 젊은이들에게 인기가 높습니다.

## +플러스 단어

● Track 10-05

西装 xīzhuāng 양복, 수트

进口商品 jìnkǒu shāngpǐn 수입품

古家具 gǔjiājù 앤틱 가구

特大号专卖店 tèdà hào zhuānmàidiàn
빅사이즈 전문 매장

世界美食 shìjiè měishí 세계 요리

法国风味 Fǎguó fēngwèi 프랑스 풍미

屋顶酒吧 wūdǐng jiǔbā 루프탑 바

大使馆 dàshǐguǎn 대사관

泰国 Tàiguó 태국

印度 Yìndù 인도

意大利 Yìdàlì 이탈리아

西班牙 Xībānyá 스페인

# 어법 파헤치기

## 1 不但……而且……

'不但……而且……'는 점층 관계를 나타내는 구문으로 앞 절에서 서술한 내용보다 뒷 절의 내용이 한층 더 심화되거나 발전된 상황을 나타낼 때 사용합니다. 우리말의 '~뿐만 아니라 또한 ~하다'에 해당하며, 앞 절에 '不但' 대신 '不仅 bùjǐn'을 사용하기도 합니다.

**这儿不但外国公馆多，而且外国人也很多。**
Zhèr búdàn wàiguó gōngguǎn duō, érqiě wàiguórén yě hěn duō.
이곳은 외국 공관이 많을 뿐만 아니라, 외국인도 많아요.

**梨泰院不但有好吃的，而且有好玩的。**
Lítàiyuàn búdàn yǒu hǎochī de, érqiě yǒu hǎowán de.
이태원에는 맛있는 것도 있고 또한 놀거리도 있어요.

**她不但汉语说得流利，而且英语也不错。**
Tā búdàn Hànyǔ shuō de liúlì, érqiě Yīngyǔ yě búcuò.
그녀는 중국어가 유창할 뿐 아니라 영어도 잘해요.

## 2 边……边……

병렬 관계를 나타내는 구문으로 두 가지 동작이나 상황이 동시에 진행됨을 나타냅니다. '边 + 동사1 + 边 + 동사2'의 형식으로 쓰여 우리말의 '(한편으로) ~하면서 (한편으로) ~하다'에 해당합니다. 이 경우 두 가지 동작이나 행위의 실행자는 같은 인물이어야 합니다. '边' 대신 '一边 yìbiān'을 사용하기도 합니다.

**他们边听音乐边聊天。** 그들은 음악을 들으면서 이야기를 나눠요.
Tāmen biān tīng yīnyuè biān liáotiān.

**我们边走边逛，逛了两个小时。** 우리는 걸으면서 둘러봤는데, 두 시간 동안 둘러봤어요.
Wǒmen biān zǒu biān guàng, guàngle liǎng ge xiǎoshí.

**他平时一边吃饭，一边看手机。** 그는 평소에 밥을 먹으면서 휴대폰을 봐요.
Tā píngshí yìbiān chī fàn, yìbiān kàn shǒujī.

## 3 有的……有的……

'有的'는 전체 가운데 일부 사람이나 사물을 가리키는 대사로 쓰입니다. '有的＋(사람/사물)＋동사1, 有的＋(사람/사물)＋동사2'의 형식으로 사용되고, '어떤 사람/것은 ~하며, 어떤 사람/것은 ~하다'라고 해석됩니다.

**有的人喝咖啡，有的人喝啤酒。**
Yǒude rén hē kāfēi, yǒude rén hē píjiǔ.
어떤 사람은 커피를 마시고, 어떤 사람은 맥주를 마셔요.

**有的去中国，有的去日本留学。**
Yǒude qù Zhōngguó, yǒude qù Rìběn liúxué.
어떤 사람은 중국으로, 어떤 사람은 일본으로 유학을 가요.

**这些汉字中，有的会读，有的不会。**
Zhèxiē Hànzì zhōng, yǒude huì dú, yǒude bú huì.
이 한자들 중 어떤 것은 읽을 줄 알고, 어떤 것은 읽을 줄 몰라요.

## 4 부사 好像

'好像'은 '好像＋동사/형용사'의 형태로 주로 사용되며, 우리말의 '마치 ~한 것 같다'에 해당합니다.

**好像是到了欧洲的感觉。** 마치 유럽에 온 기분이에요.
Hǎoxiàng shì dàole Ōuzhōu de gǎnjué.

**他好像是外国人。** 그 사람은 외국 사람 같아요.
Tā hǎoxiàng shì wàiguórén.

**这个菜我好像在哪儿吃过。** 이 요리를 나는 어디선가 먹어 본 것 같아요.
Zhège cài wǒ hǎoxiàng zài nǎr chīguo.

1 녹음을 듣고 그림에 맞게 A, B, C를 써 넣으세요. ◉ Track 10-06

(1)  (2) (3)

(      )      (      )      (      )

2 녹음을 듣고 내용과 일치하면 ○, 일치하지 않으면 ✕를 표시해 보세요. ◉ Track 10-07

(1) 梨泰院也叫"首尔小地球村"。      (      )

(2) 梨泰院每年十二月举办庆典。      (      )

(3) 平时也可以尝到各国的美食。      (      )

(4) 他们边听音乐边聊天。      (      )

3 빈칸에 들어갈 말을 골라 문장을 완성해 보세요.

然后    情趣    而且    有

(1) _____ 很多餐厅和酒吧。

(2) 我们先吃土耳其美食，_____ 去甜品店吧。

(3) 梨泰院的夜景很有_____。

(4) 这儿不但外国公馆多，_____ 外国人也很多。

## 4 다음 문장을 중국어로 바꿔 보세요.

(1) 외국인도 적지 않아요.

→ _____

(2) 저기에 터키 식당이 있어요.

→ _____

(3) 마치 유럽에 온 기분이에요.

→ _____

(4) 우리 오늘 밤 이태원 클럽에 가 보는 게 어때요?

→ _____

## 5 다음 그림을 보고 자유롭게 대화를 완성해 보세요.

(1)

A: 为什么(wèishénme, 왜)梨泰院叫 "首尔
小地球村"?

B: _____ 。

(2)

A: 首尔的夜景怎么样?

B: _____ 。

# 활동 수행하기

## 지도 들여다보기

지도를 보고 이태원에 있는 주요 관광지의 위치와 중국어 명칭을 알아봅시다.

## 중국어로 말해 보기

🔘 Track **10-08**

❶ 경리단길 经理团路 Jīnglǐtuán Lù

❷ 필리핀대사관 菲律宾大使馆 Fēilǜbīn Dàshǐguǎn

❸ 케냐대사관 肯尼亚大使馆 Kěnníyà Dàshǐguǎn

❹ 삼성미술관 리움 三星美术馆Leeum
　Sānxīng Měishùguǎn Leeum

❺ 녹사평역 绿莎坪站 Lǜshāpíng Zhàn

❻ 해밀톤호텔 汉密尔顿酒店 Hànmì'ěrdùn Jiǔdiàn

❼ 이태원역 梨泰院站 Lítàiyuàn Zhàn

❽ 이태원거리 梨泰院大街 Lítàiyuàn Dàjiē

❾ 한국이슬람교 서울중앙성원
　韩国伊斯兰教首尔中央圣院
　Hánguó Yīsīlánjiào Shǒu'ěr Zhōngyāng Shèngyuàn

❿ 이태원 앤틱 가구 거리 梨泰院古家具街
　Lítàiyuàn Gǔjiājù Jiē

## 다 함께 알아보기

조별로 다음 질문에 답해 봅시다.

1 이태원의 역사를 알아봅시다.

2 이태원의 세계음식점 거리에서 찾을 수 있는 나라별 음식점을 알아봅시다.

3 이태원 앤틱 가구 거리에 대해 알아봅시다.

# 서울의 작은 지구촌, 이태원

이태원은 **용산 미군 기지**가 있어 예전에는 한국에 거주하는 외국인들의 쇼핑 지역으로 특화되었으나, **해방촌과 경리단길**이 인기를 얻으면서 한국의 젊은층이 즐겨 찾는 장소가 되었습니다.

이태원은 본래 조선시대 숙박 시설인 원(院)의 하나였습니다. 이태원에는 조선시대부터 군사 시설이 많았고 일제강점기에는 일본군 사령부가 있었습니다. 해방 후에는 미군 기지가 들어섰으며 한국전쟁 후 월남민들의 집단 거주지가 생기면서 '해방촌'이라는 이름도 생겼습니다.

독특한 개성을 지닌 가게들이 길을 따라 빼곡히 자리 잡은 경리단길은 **개성 넘치는 식당과 카페가 다양하고 독특한 먹거리로 방문객을 유혹하는** 곳입니다. 골목 초입에 있는 **육군중앙경리단(현 국군재정관리단)**에서 그 이름이 유래되었는데, 경리단길이 유명세를 얻으면서 망원동의 '망리단길', 송파구의 '송리단길', 경주시 황남동의 '황리단길' 등 경리단길을 따라 이름 붙인 지역이 전국에 생기기도 했습니다.

이태원은 서울의 평범한 동네 같지만 세계인이 어우러져 함께 살고 있어 이국적이고 색다른 분위기를 자아냅니다. 다양한 국가의 음식과 문화를 즐길 수 있어 한국 안에서 **세계 음식 여행**이 가능한 곳입니다.

# 이태원 도보 여행

## 이태원 패션 거리

이태원역 4번 출구를 나와서 그대로 직진하면 의류 매장이 즐비합니다. 빅사이즈 전문점, 해외 구제 매장, 디자인 편집숍 등 다양한 의류 매장이 있으며, 화장품 매장도 점점 늘고 있습니다. 국제 아케이드 상가나 이태원 시장 주변에서도 의류, 가방, 액세서리 등을 구경할 수 있습니다. 이태원 시장에서 쇼핑할 때는 해외 의류의 사이즈를 알고 가면 도움이 됩니다.

## 이태원 앤틱 가구 거리

이태원 앤틱 가구 거리는 이태원역 4번 출구에서 시작되는 야트막한 비탈길로, 약 100m 이상 길게 뻗은 거리를 말합니다. 고가구를 취급하는 상점이 약 80여 곳 이상 모인 앤틱 가구 거리의 역사는 1960년대에 미군 부대에 있던 군인들이 미국으로 돌아가면서 한국에서 사용하던 가구들을 내놓은 것에서 시작되었습니다. 지금의 이태원 앤틱 가구 거리에서는 주로 유럽에서 경매로 들여온 앤틱 가구를 판매하고 있습니다. 이곳에서는 가구뿐만 아니라 인테리어 소품, 조명, 중고 해외 가전을 판매하고 있어 독특한 볼거리를 선사합니다.

## 한국이슬람교 서울중앙성원

고지대에 위치하여 이태원 어디서나 잘 보이는 이슬람 건축물은 1974년 착공하여 1976년 개원한 한국 최초의 이슬람성원인 서울중앙성원입니다. 이슬람교와 아랍 문화를 한국에 알리고, 한국과 이슬람 국가 간의 교류를 위해 설립되었습니다. 이슬람식 흰색 건물인 예배 장소 이외에도 이슬람교 관련 기관들이 들어서 있습니다. 독특하고 이국적인 건물과 함께 이태원 일대의 전망을 감상할 수 있습니다. 주변에서는 아랍 음식점이나 이슬람 관련 매장 등을 찾을 수 있어 마치 다른 나라에 온 것 같은 느낌도 듭니다.

## 公馆
gōngguǎn
(재외) 공관

公 馆

丿 八 公 公

丿 亻 饣 饣 饣 饣 馆 馆 馆 馆

## 举办
jǔbàn
거행하다

举 办

丶 丶 丷 丷 严 兴 举 举

丁 力 办 办

## 庆典
qìngdiǎn
축제

庆 典

丶 二 广 庄 庆 庆

丨 冂 冂 曲 曲 曲 典 典

## 情趣
qíngqù
정취

情 趣

丶 丶 忄 忄 忄 忄 情 情 情 情

一 十 土 丰 走 走 走 赴 赵 赵 赵 趄 趣 趣

## 聊天
liáotiān
한담하다

聊 天

一 「 T T T 耳 耳 耳 耶 聊 聊

一 二 于 天

## 主意
zhǔyì
생각

主 意

丶 亠 二 主 主

丶 亠 亠 产 音 音 音 音 意 意 意

## 석촌호수의 벚꽃이
## 정말 아름다워요.

石村湖的樱花美极了。

## 회화 1 석촌호수와 롯데월드타워

Track 11-01

A 你看！石村湖的樱花美极了。
Nǐ kàn! Shícūn Hú de yīnghuā měi jí le.

B 那高高的大厦是什么?
Nà gāogao de dàshà shì shénme?

A 是乐天塔，世界第五大高楼。
Shì Lètiān Tǎ, shìjiè dì-wǔ dà gāo lóu.

B 上去的话，可以看到首尔市全景吧?
Shàngqù dehuà, kěyǐ kàndào Shǒu'ěr Shì quánjǐng ba?

A 没错。咱们今天去乐天世界，明天去乐天塔。
Méi cuò. Zánmen jīntiān qù Lètiān Shìjiè, míngtiān qù Lètiān Tǎ.

B 太好了。
Tài hǎo le.

A 狎鸥亭到处都是整形外科医院。
  Xiá'ōutíng dàochù dōu shì zhěngxíng wàikē yīyuàn.

B 因为韩国的整形手术很有名啊。
  Yīnwèi Hánguó de zhěngxíng shǒushù hěn yǒumíng a.

A 有很多外国人到韩国来医疗观光。
  Yǒu hěn duō wàiguórén dào Hánguó lái yīliáo guānguāng.

B 从狎鸥亭往前走就是清潭洞。
  Cóng Xiá'ōutíng wǎng qián zǒu jiù shì Qīngtán Dòng.

A 清潭洞除了名品店以外还有娱乐公司。
  Qīngtán Dòng chúle míngpǐndiàn yǐwài hái yǒu yúlè gōngsī.

B 是啊。路上也许会看到K-POP明星！
  Shì a. Lùshang yěxǔ huì kàndào K-POP míngxīng!

# 새 단어 익히기

Track 11-03

石村湖 Shícūn Hú
고유 석촌호수[서울시 송파구 소재의 호수]

櫻花 yīnghuā 명 벚꽃, 벚나무

大厦 dàshà 명 빌딩, 고층 건물

乐天塔 Lètiān Tǎ
고유 롯데월드타워[서울 송파구 소재의 빌딩]

世界 shìjiè 명 세계

第 dì 접두 제[수사 앞에 쓰여 차례를 나타냄]

上去 shàngqù 동 올라가다

的话 dehuà 조 (만약) ~한다면

全景 quánjǐng 명 전경, 파노라마

没错 méi cuò 맞다, 틀림없다

乐天世界 Lètiān Shìjiè
고유 롯데월드[서울 송파구 소재의 놀이공원]

狎鸥亭 Xiá'ōutíng
고유 압구정[서울시 강남구 소재]

整形外科 zhěngxíng wàikē 성형외과

医院 yīyuàn 명 병원

因为 yīnwèi 접 ~ 때문에, 왜냐하면

整形手术 zhěngxíng shǒushù 성형수술

医疗观光 yīliáo guānguāng 의료 관광

往 wǎng 개 ~쪽으로, ~를 향해

前 qián 명 앞

清潭洞 Qīngtán Dòng
고유 청담동[서울시 강남구 소재]

除了……以外 chúle……yǐwài ~ 외에

名品店 míngpǐndiàn
명품 매장, 유명 브랜드 매장

娱乐公司 yúlè gōngsī 엔터테인먼트 회사

路上 lùshang 명 길거리, 길 위, 도중

也许 yěxǔ 부 어쩌면, 아마도, 혹시

会 huì 조동 ~일 것이다[추측을 나타냄]

- 很多人去石村湖散步。
  Hěn duō rén qù Shícūn Hú sànbù.
  많은 사람들이 산책하러 석촌호수에 갑니다.

- 乐天世界里有滑冰场。
  Lètiān Shìjiè li yǒu huábīngchǎng.
  롯데월드에는 아이스링크가 있습니다.

- 乐天塔的第120层是瞭望台。
  Lètiān Tǎ de dì-yìbǎi èrshí céng shì liàowàngtái.
  롯데월드타워의 120층은 전망대입니다.

- 真想到清潭洞高级美容院做头。
  Zhēn xiǎng dào Qīngtán Dòng gāojí měiróngyuàn zuò tóu.
  정말 청담동 고급 미용실에서 머리를 하고 싶어요.

# ✛플러스 단어

百货商场 bǎihuò shāngchǎng 백화점

超市 chāoshì 슈퍼마켓

食品区 shípǐnqū 식품 매장

免税店 miǎnshuìdiàn 면세점

游乐设施 yóulè shèshī 놀이 시설

魔幻岛 Móhuàn Dǎo 매직 아일랜드

民俗博物馆 mínsú bówùguǎn 민속박물관

传统艺术 chuántǒng yìshù 전통 예술

综合运动场 Zōnghé Yùndòngchǎng 종합운동장

棒球场 bàngqiúchǎng 야구장

奥运会 Àoyùnhuì 올림픽

奥林匹克公园 Àolínpǐkè Gōngyuán 올림픽공원

# 어법 파헤치기

## 1 조사 的话

'的话'는 가정을 나타내는 말로 주로 앞부분에 '如果 rúguǒ' 또는 '要是 yàoshi'를 함께 써서 '如果……的话' '要是……的话' 문형을 이룹니다. 우리말의 '만약 ~한다면'에 해당합니다. '如果' '要是' '的话' 중 하나만 써서 가정을 나타낼 수도 있으며 주로 뒷 절의 '那' '就'와 호응합니다.

**上去的话，可以看到首尔市全景。** 올라가면 서울 시내 전경을 볼 수 있어요.
Shàngqù dehuà, kěyǐ kàndào Shǒu'ěr Shì quánjǐng.

**如果去韩国的话，一定要去爱宝乐园。** 한국에 간다면, 꼭 에버랜드에 갈 거예요.
Rúguǒ qù Hánguó dehuà, yídìng yào qù Àibǎo Lèyuán.

**要是和朋友一起去旅游，那太好了。** 만약 친구와 함께 여행을 간다면 정말 좋을 거예요.
Yàoshi hé péngyou yìqǐ qù lǚyóu, nà tài hǎo le.

## 2 접속사 因为

'因为'는 인과 관계를 나타내는 접속사로 '因为＋원인, 所以＋결과'의 형식으로 쓰여, 앞 절은 원인을 나타내고, 뒷 절은 결과를 나타냅니다. 우리말의 '~하기 때문에, 그래서 ~하다'에 해당합니다. '因为＋원인, 所以＋결과' 문형에서 '因为' '所以' 둘 중 하나를 생략하기도 합니다.

**因为韩国的整形手术很有名啊。**
Yīnwèi Hánguó de zhěngxíng shǒushù hěn yǒumíng a.
한국의 성형수술이 유명하기 때문이지요.

**石村湖的樱花太美了，所以来观赏樱花的人特别多。**
Shícūn Hú de yīnghuā tài měi le, suǒyǐ lái guānshǎng yīnghuā de rén tèbié duō.
석촌호수의 벚꽃은 정말 아름다워서 벚꽃을 구경하러 오는 사람이 특히 많아요.

**因为上次没去乐天塔，所以这次一定要去。**
Yīnwèi shàng cì méi qù Lètiān Tǎ, suǒyǐ zhè cì yídìng yào qù.
지난번에 롯데월드타워에 안 갔으니까, 이번에는 꼭 가야 해요.

## 3  除了……以外

'除了……以外' 구문은 이미 말한 내용 외에 추가적인 것이 더 있음을 나타냅니다. 뒷절에 '还'나 '也'가 오면 '~ 외에도 또 ~하다'라는 포함의 의미를 나타내고, '都'가 오면 '~를 제외하고 다 ~하다'라는 제외의 의미를 나타냅니다.

### 清潭洞除了名品店以外还有娱乐公司。
Qīngtán Dòng chúle míngpǐndiàn yǐwài hái yǒu yúlè gōngsī.

청담동에는 명품 매장 외에 엔터테인먼트 회사도 있습니다. [포함]

### 在明洞除了购物以外，还可以吃到特色小吃。
Zài Míng Dòng chúle gòuwù yǐwài, hái kěyǐ chīdào tèsè xiǎochī.

명동에서는 쇼핑 외에 이색 간식도 먹을 수 있어요. [포함]

### 除了小明以外，大家都来了。
Chúle Xiǎomíng yǐwài, dàjiā dōu láile.

샤오밍을 제외하고 모두 왔어요. [제외]


## 4  조동사 会

'会'는 동사 앞에 쓰여 어떤 사실에 대한 추측이나 가능성을 나타냅니다. 우리말의 '~일 것이다' '~할 가능성이 있다'에 해당합니다.

### 路上也许会看到K-POP明星！
길거리에서 어쩌면 케이팝 스타를 마주칠 수도 있어요!
Lùshang yěxǔ huì kàndào K-POP míngxīng!

### 这件礼物，他一定会喜欢的。
이 선물, 그가 반드시 좋아할 거예요.
Zhè jiàn lǐwù, tā yídìng huì xǐhuan de.

### 天气预报说，今天下午会下大雨。
일기예보에서 오늘 오후에 큰비가 올 거라고 했어요.
Tiānqì yùbào shuō, jīntiān xiàwǔ huì xià dà yǔ.

이 밖에도 학습이나 연습을 통해 터득한 기능을 나타내는 '~할 수 있다'의 의미로도 쓰입니다.

### 我会说汉语。
저는 중국어를 할 줄 알아요.
Wǒ huì shuō Hànyǔ.

## 1

녹음을 듣고 그림에 맞게 A, B, C를 써 넣으세요. 🔵 Track 11-06

(1) 　(2) 　(3)

( 　　　 )　　　　　( 　　　 )　　　　　( 　　　 )

## 2

녹음을 듣고 내용과 일치하면 ○, 일치하지 않으면 ✕를 표시해 보세요. 🔵 Track 11-07

(1) 咱们今天去乐天世界，明天去乐天塔。　( 　　　 )

(2) 韩国的整形手术很有名。　　　　　　　( 　　　 )

(3) 狎鸥亭到处都是整形外科医院。　　　　( 　　　 )

(4) 清潭洞除了名品店以外还有娱乐公司。　( 　　　 )

## 3

빈칸에 들어갈 말을 골라 문장을 완성해 보세요.

从　　因为　　极了　　第

(1) 石村湖的樱花美＿＿＿＿＿＿。

(2) 是乐天塔，世界＿＿＿＿＿＿五大高楼。

(3) ＿＿＿＿＿＿狎鸥亭往前走就是清潭洞。

(4) ＿＿＿＿＿＿韩国的整形手术很有名啊。

4  다음 문장을 중국어로 바꿔 보세요.

(1) 올라가면 서울 시내 전경을 볼 수 있지요?

→ _____

(2) 저 높은 빌딩은 무엇이죠?

→ _____

(3) 많은 외국인이 한국에 와서 의료 관광을 합니다.

→ _____

(4) 길거리에서 어쩌면 케이팝 스타를 마주칠 수도 있어요!

→ _____

5  다음 그림을 보고 자유롭게 대화를 완성해 보세요.

(1)

A: 你去过乐天世界吗？那里怎么样？

B: _____

(2)

A: 狎鸥亭有什么特征(tèzhēng, 특징)?

B: _____

# 활동 수행하기

## 📍 지도 들여다보기

지도를 보고 잠실에 있는 주요 관광지의 위치와 중국어 명칭을 알아봅시다.

## 중국어로 말해 보기

🔘 Track 11-08

❶ 올림픽 주경기장 **奥林匹克主竞技场**
Àolínpǐkè Zhǔjìngjìchǎng

❷ 잠실종합운동장 **蚕室综合运动场**
Cánshì Zōnghé Yùndòngchǎng

❸ 잠실역 **蚕室站** Cánshì Zhàn

❹ 롯데월드 **乐天世界** Lètiān Shìjiè

❺ 롯데월드타워 **乐天塔** Lètiān Tǎ

❻ 롯데월드몰 **乐天世界购物城**
Lètiān Shìjiè Gòuwùchéng

❼ 석촌호수 **石村湖** Shícūn Hú

## 다 함께 알아보기

조별로 다음 질문에 답해 봅시다. 제시된 지도를 활용해도 좋습니다.

1 잠실에 있는 주요 관광지를 알아봅시다.

2 압구정동과 청담동에서 인기 있는 명소나 가게 등을 알아봅시다.

3 1988 서울 올림픽을 통해 유명해진 장소를 알아봅시다.

# 미쉐린 가이드

미쉐린 가이드는 프랑스 타이어 회사 미쉐린에서 출간하는 가이드북입니다. 영미권에서는 프랑스식 이름인 '미슐랭 가이드'로 통칭하나, 우리나라에서는 미쉐린 코리아에 의해 '미쉐린 가이드'가 공식 명칭이 되었습니다. 초기에는 타이어 교체 및 차 정비 요령, 주유소 위치 등의 정보를 주로 제공하고 식당 소개는 부수적인 역할이었으나, 식당 정보에 대한 호평이 늘고 신뢰도 또한 높아지면서 이후 '식당지침서'로서의 성격이 더욱 강해졌습니다. 오늘날에는 식당 등급에 따라 '미쉐린 스타'를 부여하는 식당 소개서 '레드 시리즈'와 여행·관광 정보를 소개하는 '그린 시리즈'로 나뉘어 발행됩니다.

## 미쉐린 스타

'미쉐린 스타'는 미쉐린 가이드의 대표적인 상징으로 1926년에 최고의 맛을 선사하는 식당을 소개하기 위해 시작되어 오늘날 미식 문화의 글로벌 표준으로 자리 잡았습니다. 별 1개는 '요리가 훌륭한 식당', 별 2개는 '요리가 훌륭해 멀리 찾아갈 만한 식당', 별 3개는 '요리가 매우 훌륭하여 맛보기 위해 특별한 여행을 떠날 가치가 있는 식당'을 의미합니다.

## 미쉐린 가이드 서울

미쉐린 가이드 서울 편에는 훌륭한 요리로 미쉐린 스타를 받은 레스토랑뿐만 아니라 합리적인 가격대로 뛰어난 맛을 선보이는 '빕 구르망(Bib Gourmand)'도 함께 수록되어 있습니다. 서울은 대중적으로 사랑 받는 한식에서부터 고급 레스토랑까지 다채로운 미식 문화가 공존하는 도시로서 세계적으로 인정 받는 미식의 도시가 되어가고 있습니다.

# 잠실과 삼성동 일대

**잠실과 삼성동 일대는** 강남의 대표적인 관광 지역입니다. 잠실 일대는 서울의 랜드마크가 된 롯데월드타워를 비롯해 롯데월드, 석촌호수, 올림픽공원과 가락시장, 풍납토성, 방이·석촌고분군 등이 있어 서울의 현재와 과거를 아우르는 공간이라 할 수 있습니다. 삼성동에는 아시아 최대 규모의 지하 쇼핑 공간인 스타필드 코엑스몰과 전 세계 케이팝 팬들의 필수 관광 코스인 SM TOWN 코엑스아티움이 위치해 있습니다.

## 롯데월드타워 & 롯데월드몰

한국적인 곡선의 미를 지닌 도자기와 붓의 형상을 모티브로 설계된 **롯데월드타워**는 123층짜리 빌딩으로 세계에서 5번째로 높습니다. 안에는 **특급 호텔 '시그니엘 서울'**과, 화려한 서울의 야경을 감상할 수 있는 **전망대 '서울스카이'**가 자리하고 있습니다.

**롯데월드몰**은 국내 최대의 명품 백화점인 '에비뉴엘'과 국내 시내 면세점 중 최대 면적을 자랑하는 '롯데면세점' 등이 있는 쇼핑의 명소로 다양한 국내외 브랜드를 만날 수 있는 공간입니다. 또한 '롯데시네마 월드타워관' '롯데월드 아쿠아리움' '롯데 콘서트홀'이 있어 **쇼핑과 엔터테인먼트를 함께** 즐길 수 있습니다.

## 스타필드 코엑스몰

교통이 편리하고 날씨에 상관없이 가기 좋은 장소를 꼽으라 하면 삼성동에 위치한 스타필드 코엑스몰이 제격일 것입니다. 지상층에서는 **각종 박람회가 열리**고 지하층에서는 쾌적한 쇼핑은 물론이고, 5만여 권의 장서가 갖춰진 **별마당 도서관**에서 독서와 사색의 시간을 즐길 수도 있습니다.

엔터테인먼트 회사 SM에서 운영하는 체험 공간인 SM TOWN 코엑스아티움에는 소속 아티스트의 팬들을 위한 여러 상품과 이벤트가 준비되어 있습니다.

大厦
dàshà
빌딩

一 ナ 大
一 厂 厂 厂 厂 厈 厈 厈 厝 厚 厦 厦

世界
shìjiè
세계

一 十 卄 卋 世
丨 冂 日 日 田 甲 界 界 界

全景
quánjǐng
전경

丿 人 △ △ 全 全
丨 冂 日 日 日 早 昗 昙 景 景 景

整形
zhěngxíng
성형

一 丁 丁 百 申 束 束 敇 敇 敕 敕 整 整 整 整
一 二 于 开 形 形 形

手术
shǒushù
수술

一 二 三 手
一 十 才 木 术

也许
yěxǔ
어쩌면

フ 也 也
丶 讠 讠 许 许 许

# 12

셀프 체크아웃은 시간도
절약되고 편리해요.
自助退房既省时间又方便。

## 회화 1 면세점

A 今天要回国了，去免税店买些礼物吧。
Jīntiān yào huí guó le, qù miǎnshuìdiàn mǎi xiē lǐwù ba.

B 我妈妈喜欢韩方化妆品，要给她买一套。
Wǒ māma xǐhuan hánfāng huàzhuāngpǐn, yào gěi tā mǎi yí tào.

A 我要买面膜送朋友呢。
Wǒ yào mǎi miànmó sòng péngyou ne.

B 对了，我差点儿忘了，我朋友托我买化妆品呢。
Duìle, wǒ chàdiǎnr wàng le, wǒ péngyou tuō wǒ mǎi huàzhuāngpǐn ne.

A 是吗？我家人特别喜欢韩国海苔。
Shì ma? Wǒ jiārén tèbié xǐhuan Hánguó hǎitái.

B 那我们一起去买吧。
Nà wǒmen yìqǐ qù mǎi ba.

# 2 셀프 체크아웃

Track 12-02

A 你好！我要退房。

　Nǐ hǎo! Wǒ yào tuì fáng.

B 现在客人特别多，您可以用自助服务机。

　Xiànzài kèrén tèbié duō, nín kěyǐ yòng zìzhù fúwùjī.

A 我还没用过。你能帮我一下吗?

　Wǒ hái méi yòngguo. Nǐ néng bāng wǒ yíxià ma?

B 好的。请插入房卡。

　Hǎo de. Qǐng chārù fángkǎ.

A 哦！按步骤进行很快就结束了。

　Ò! Àn bùzhòu jìnxíng hěn kuài jiù jiéshùle.

B 是的。自助退房既省时间又方便。

　Shì de. Zìzhù tuì fáng jì shěng shíjiān yòu fāngbiàn.

回国 huí guó 귀국하다

买 mǎi 통 사다

些 xiē 양 약간, 조금, 다소

礼物 lǐwù 명 선물

妈妈 māma 명 어머니, 엄마

喜欢 xǐhuan 통 좋아하다

韩方化妆品
hánfāng huàzhuāngpǐn 한방 화장품

面膜 miànmó 명 마스크팩

送 sòng 통 주다, 선물하다, 보내다

朋友 péngyou 명 친구

对了 duìle 통 아 참, 맞다[잊을 뻔한 일이 문득 떠올랐을 때 하는 말]

差点儿 chàdiǎnr 부 하마터면

忘 wàng 통 잊다, 망각하다

托 tuō 통 부탁하다

家人 jiārén 명 가족, 식구

特别 tèbié 부 특히, 각별히

海苔 hǎitái 명 김

一起 yìqǐ 부 같이, 함께

退房 tuì fáng 체크아웃

客人 kèrén 명 손님

用 yòng 통 사용하다, 쓰다

自助服务机 zìzhù fúwùjī 키오스크

插入 chārù 통 꽂다, 끼워 넣다, 삽입하다

哦 ò 감 [놀람이나 깨달음을 나타냄]

按 àn 개 ~에 따라

步骤 bùzhòu 명 순서, 절차

进行 jìnxíng 통 진행하다

结束 jiéshù 통 끝나다, 마치다

自助退房 zìzhù tuì fáng 셀프 체크아웃

既……又…… jì……yòu……
~할 뿐만 아니라 ~하다

省 shěng 통 절약하다, 아끼다

方便 fāngbiàn 형 편리하다

○ Track 12-04

● 在免税店购物非常划算。
Zài miǎnshuìdiàn gòuwù fēicháng huásuàn.
면세점에서 쇼핑하는 것은 매우 경제적입니다.

● 仁川机场免税店的服务很好。
Rénchuān Jīchǎng miǎnshuìdiàn de fúwù hěn hǎo.
인천공항 면세점의 서비스가 좋습니다.

● 请到前台办理退房手续。
Qǐng dào qiántái bànlǐ tuì fáng shǒuxù.
프런트에 가서 체크아웃 수속을 밟으십시오.

● 需要为您准备到机场的路线吗?
Xūyào wèi nín zhǔnbèi dào jīchǎng de lùxiàn ma?
공항까지 가는 교통편을 안내해 드릴까요?

## ╋ 플러스 단어

○ Track 12-05

护手霜 hùshǒushuāng 핸드크림

乳液 rǔyè 로션

香水 xiāngshuǐ 향수

气垫粉 qìdiànfěn 에어쿠션

洗面奶 xǐmiànnǎi 클렌징 폼

红参 hóngshēn 홍삼

巧克力 qiǎokèlì 초콜릿

饼干 bǐnggān 과자

迷你吧 mínǐbā 미니바

客房服务 kèfáng fúwù 룸서비스

发票 fāpiào 영수증

签名 qiānmíng 서명하다

# 어법 파헤치기

## 1 양사 些

'些'는 우리말의 '조금' '다소'에 해당하며 일정하지 않은 수량을 나타냅니다. 형용사나 일부 동사 뒤에 쓰여 '약간'의 의미를 더하거나 지시대사 '这' '那'와 의문대사 '哪' 뒤에 쓰여 복수의 의미를 나타냅니다. '一些 yìxiē'로 쓰기도 합니다.

**去免税店买些礼物吧。** 선물을 좀 사러 면세점에 갑시다.
Qù miǎnshuìdiàn mǎi xiē lǐwù ba.

**这些一共多少钱?** 이것들 모두 얼마예요?
Zhèxiē yígòng duōshao qián?

**这里有一些旅行手册。** 여기에 여행 안내 책자가 좀 있네요.
Zhèli yǒu yìxiē lǚxíng shǒucè.

## 2 부사 差点儿

'差点儿'은 '다행히'의 의미를 가진 부사로, '하마터면 ~할 뻔했다'라고 해석하면 자연스럽습니다. '差点儿+(没)+원하지 않은 일'의 형식은 일어나지 않았으면 하는 일이 결국 일어나지 않아 다행임을 나타냅니다. 이때 '没'가 있으나 없으나 의미는 같습니다.

**我差点儿忘了，我朋友托我买化妆品呢。**
Wǒ chàdiǎnr wàng le, wǒ péngyou tuō wǒ mǎi huàzhuāngpǐn ne.
하마터면 잊을 뻔했어요. 제 친구가 화장품을 사다 달라고 부탁했는데.

**我差点儿没走错路。** 저는 하마터면 길을 잘못 들 뻔했어요.
Wǒ chàdiǎnr méi zǒucuò lù.

'差点儿+원하던 일'의 형식은 일어났으면 하는 일이 일어나지 않아 아쉬움을 나타냅니다.

**我差点儿考上北京大学。** 저는 거의 베이징대학에 합격할 뻔했어요.
Wǒ chàdiǎnr kǎoshàng Běijīng Dàxué.

**他差点儿成为明星。** 그는 스타가 될 뻔했어요.
Tā chàdiǎnr chéngwéi míngxīng.

## 3 개사 按

'按'은 수단이나 방식을 나타내는 개사로, 어떤 동작이나 행위를 할 때 따라야 하는 규칙이나 근거를 제시하는 말입니다. '按＋수단/방식＋동사'의 형식으로 쓰여 우리말의 '~에 따라 ~하다' '~에 근거하여 ~하다'에 해당합니다. '按照 ànzhào' 또는 '照 zhào'로 쓰기도 합니다.

**按步骤进行很快就结束了。** 순서대로 진행했더니 바로 끝나네요.
Àn bùzhòu jìnxíng hěn kuài jiù jiéshùle.

**我们按照顾客的要求提供服务。** 저희는 고객의 요청에 따라 서비스를 제공합니다.
Wǒmen ànzhào gùkè de yāoqiú tígōng fúwù.

**请照手续办理退房。** 절차에 따라 체크아웃을 해 주세요.
Qǐng zhào shǒuxù bànlǐ tuì fáng.


## 4 既……又……

'既……又……'는 두 가지 상황이나 동작이 연속하여 발생하거나 동시에 존재함을 나타냅니다. 우리말의 '~하기도 하고, ~하기도 하다'에 해당합니다. '又……又……' 형식으로 쓰기도 합니다.

**自助退房既省时间又方便。** 셀프 체크아웃은 시간도 절약되고 편리해요.
Zìzhù tuì fáng jì shěng shíjiān yòu fāngbiàn.

**机场大巴既方便又便宜。** 공항버스는 편리하면서도 저렴해요.
Jīchǎng dàbā jì fāngbiàn yòu piányi.

**免税商品又多样又实惠。** 면세 상품은 다양하면서도 실용적이에요.
Miǎnshuì shāngpǐn yòu duōyàng yòu shíhuì.

1 녹음을 듣고 그림에 맞게 A, B, C를 써 넣으세요. ◎ Track 12-06

(1) DUTY FREE ?

(      )

(2)

(      )

(3) Check-In

(      )

2 녹음을 듣고 내용과 일치하면 ○, 일치하지 않으면 ✕를 표시해 보세요. ◎ Track 12-07

(1) 今天要回国了。               (      )

(2) 我要给妈妈买化妆品。        (      )

(3) 我家人特别喜欢韩国海苔。      (      )

(4) 自助退房既省时间又方便。      (      )

3 빈칸에 들어갈 말을 골라 문장을 완성해 보세요.

帮     按     差点儿     些

(1) 去免税店买_____礼物吧。

(2) 我还没用过。你能_____我一下吗?

(3) _____步骤进行很快就结束了。

(4) 我_____忘了，我朋友托我买化妆品呢。

4  다음 문장을 중국어로 바꿔 보세요.

(1) 어머니께 화장품 한 세트 사 드리려고요.

→ _____

(2) 저는 마스크팩을 사서 친구에게 선물하려고 해요.

→ _____

(3) 안녕하세요! 체크아웃하려고요.

→ _____

(4) 객실 카드 키를 꽂으세요.

→ _____


5  다음 그림을 보고 자유롭게 대화를 완성해 보세요.

(1)

A: 你妈妈喜欢韩方化妆品吗?

B: _____

(2)

A: 我家人特别喜欢韩国海苔。

B: _____

# 활동 수행하기

## 🧑 지도 들여다보기

지도를 보고 서울에 있는 주요 면세점의 위치와 중국어 명칭을 알아봅시다.

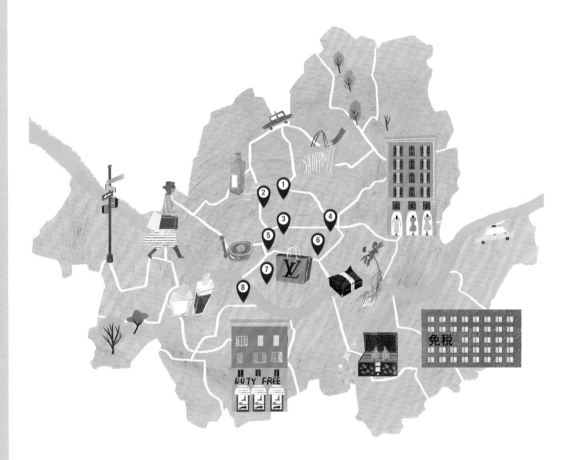

## 중국어로 말해 보기

🔘 Track **12-08**

- ❶ SM면세점 **SM免税店** SM Miǎnshuìdiàn
- ❷ 동화면세점 **东和免税店** Dōnghé Miǎnshuìdiàn
- ❸ 롯데면세점 **乐天免税店** Lètiān Miǎnshuìdiàn
- ❹ 두타면세점 **都塔免税店** Dūtǎ Miǎnshuìdiàn
- ❺ 신세계면세점 **新世界免税店**
  Xīnshìjiè Miǎnshuìdiàn

- ❻ 신라면세점 **新罗免税店** Xīnluó Miǎnshuìdiàn
- ❼ 신라아이파크면세점 **新罗爱宝客免税店**
  Xīnluó Àibǎokè Miǎnshuìdiàn
- ❽ 갤러리아면세점 **格乐丽雅免税店**
  Gélèlìyǎ Miǎnshuìdiàn

## 다 함께 알아보기

조별로 다음 질문에 답해 봅시다. 제시된 지도를 활용해도 좋습니다.

1 서울 시내 면세점과 공항 면세점의 개수와 위치를 알아봅시다.

2 출입국 시 신고해야 하는 외화 한도액과 면세품에 관한 제한 사항을 알아봅시다.

3 일상생활에서 사용되고 있는 키오스크의 장·단점을 알아봅시다.

# 키오스크

키오스크는 대중들이 쉽게 이용할 수 있도록 **공공장소에 설치한 무인기기**를 가리킵니다. 멀티미디어 스테이션 또는 셀프 서비스 스테이션이라고도 하며, 대개 **터치스크린** 방식을 적용하여 정보를 얻거나 구매·발권·등록 등의 업무를 처리합니다.

우리나라에서는 전자 정부의 구현 및 초고속 통신망 구축과 맞물려 정부 및 교육 기관에서 키오스크를 적극 도입하고 있습니다. 키오스크는 관공서나 은행을 시작으로, 공항이나 공공장소, 지하철, 쇼핑몰 등 유동 인구가 많고 개방된 장소에 주로 설치되는 추세입니다.

키오스크 시스템이 확산되는 가장 큰 이유는 **인건비 절감** 때문입니다. 업종마다 특성이 다르지만 대체로 키오스크 1대가 최소 3명의 인력을 대체할 수 있다고 평가됩니다. 또한 소비자가 굳이 직원과 대면하지 않으려는 트렌드에 맞춰 '**언택트(Untact·비접촉) 기술**'이 확산되면서 호텔이나 외식 업계에서도 키오스크 시스템은 점점 확대될 것으로 예상됩니다.

특히 호텔에서는 키오스크를 이용한 셀프 체크인과 셀프 체크아웃이 가능해지면서 예약 확인, 객실 선택, 결제, 객실 카드 키 수령과 반납, 신분증 스캔 등 다양한 업무가 비대면 무인 시스템으로 처리됩니다. 이는 **프런트 업무 간소화, 인력 운영 효율화, 고객 사생활 보호** 등 많은 긍정적인 변화를 가져올 것으로 기대됩니다.

# 외국인이 좋아하는
# 한국 기념품

우리 눈에는 별다를 것 없어도 한국에 여행 온 외국인들의 구매욕을 자극하는 한국 상품이 있습니다. 외화 수익과 국위 선양에 한몫 톡톡히 하고 있는 한국의 인기 기념품을 소개합니다.

## 화장품

우리나라의 **중저가 화장품**은 연령대에 상관없이 모두에게 인기가 많은데 그중에서도 마스크팩의 인기가 높습니다. 한국의 **마스크팩**은 전 세계에서 최고라는 평가를 받고 있습니다.

## 식품

**홍삼, 김, 라면, 커피믹스** 등의 식품도 기념품으로 인기가 많습니다. 특히 한국 김은 최근 국제식품규격위원회에서 아시아 표준으로 채택되기도 했습니다. 바삭한 식감과 짭짤한 맛이 매력인 김은 아시아, 유럽 할 것 없이 인기가 많고, 부피가 작고 가벼워서 선물하기 좋습니다. 한국에서 일한 외국인이 고향에 갈 때 사 가는 기념품 중 1위는 바로 커피믹스라고 합니다. 또한 한 여행사의 설문 조사에 따르면 외국인 관광객의 53%가 가장 좋아하는 한국 차로 커피믹스를 꼽았으며 편리함과 저렴한 가격에 놀라워한다고 합니다.

## 생활용품

한국의 **손톱깎이**는 품질이 좋다고 소문이 나 기념품으로 여전히 많은 인기를 얻고 있습니다. 또 때수건이나 삼선 슬리퍼, 양은 냄비, 폭탄주용 유리잔 등 한국 드라마를 통해 알게 된 물건을 기념품으로 찾는 한국 드라마 팬들도 있습니다. **캐릭터 양말**도 인기가 좋습

니다. 다양한 디자인과 저렴한 가격 때문에 한자리에서 수십 개씩 사 가는 외국인도 많습니다. 그 밖에 각종 캐릭터 상품이나 아이디어 문구, 편지봉투, 스티커 등도 많이 찾는다고 합니다.

## 面膜
miànmó
마스크팩

面膜

一 ア ア 百 雨 面 面 面 面

丿 几 月 月 厂 胪 胪 胪 腊 腊 膔 膜 膜 膜

## 海苔
hǎitái
김

海苔

丶 丶 氵 氵 汇 汇 海 海 海 海

一 艹 艹 艹 芦 苔 苔 苔

## 退房
tuì fáng
체크아웃

退房

一 ヨ ヨ 艮 艮 艮 退 退 退

丶 亠 亠 户 户 户 房 房

## 自助
zìzhù
셀프

自助

丿 亻 冂 白 白 自 自

丨 冂 月 月 且 助 助

## 步骤
bùzhòu
순서

步骤

丨 ⺊ ⺊ 止 牛 步 步

丆 马 马 马 马 驷 驷 驷 骄 骄 骄 骤 骤 骤 骤 骤

## 结束
jiéshù
끝나다

结束

纟 纟 纟 纟 结 结 结 结 结

一 一 一 一 一 束 束

**180**

# 해석 및 모범 답안

# CHAPTER 01

## 회화 학습하기

### 회화 1

A 어서 오세요! 예약하셨나요?

B 예약했습니다. 저는 왕리라고 합니다.

A 여권을 보여 주십시오.

B 오션뷰 방이 있나요?

A 있습니다.

### 회화 2

A 저희 일행은 3명입니다. 침대를 추가할 수 있나요?

B 가능합니다. 5만 원을 추가하셔야 합니다.

A 스위트룸으로 바꿀 수 있나요?

B 잠시만 기다려 주십시오. 확인해 보겠습니다.

## 실력 향상하기

1 (1) C      (2) B      (3) A

> 🎧 녹음 대본
>
> A 我们一行三个人。
> B 可以换套间吗?
> C 请出示您的护照。

2 (1) ○    (2) ✕    (3) ○    (4) ○

> 🎧 녹음 대본
>
> (1) 预订了。
> (2) 需要加八万韩币。
> (3) 三个人,可以加床。
> (4) 有海景房。

3 (1) 了        (2) 的
   (3) 可以       (4) 叫

4 (1) 欢迎光临!

(2) 可以换套间吗?

(3) 请稍等。

(4) 我看一下。

5 (1) 有海景房。

(2) 可以加床。

# CHAPTER 02

## 회화 학습하기

### 회화 1

A 조식은 어디에서 먹나요?

B 1층에서요. 조식 시간은 7시부터 9시까지입니다.

A 한식당의 영업 시간을 알려 주실 수 있나요?

B 점심부터 저녁까지 모두 영업합니다.

### 회화 2

A 안녕하세요. KTX 기차표 예약하는 것을 도와주실 수 있나요?

B 가능합니다. 며칠 것을 예약하고 싶으신가요?

A 모레 강릉 가는 것 3장이요.

B 알겠습니다.

## 실력 향상하기

1 (1) B      (2) A      (3) C

> 🎧 녹음 대본
>
> A 去江陵的三张。
> B 可以帮我预订KTX火车票吗?
> C 早餐时间是从七点到九点。

2 (1) ○    (2) ○    (3) ○    (4) ✕

> 🎧 녹음 대본
>
> (1) 早餐在江陵吃。
> (2) 请告诉我韩餐馆的营业时间。

(3) 从中午到晚上都营业。

(4) 今天去江陵。

3 (1) 在            (2) 要

  (3) 张            (4) 吗

4 (1) 早餐时间是从七点到九点。

  (2) 在一楼。

  (3) 后天去江陵的三张。

  (4) 能告诉我营业时间吗?

5 (1) 早餐在一楼吃。

  (2) 后天我去江陵。

# CHAPTER
# 03

## 회화 학습하기

### 회화 1

A 이 일대는 삼청동과 북촌 한옥마을입니다.

B 삼청동에는 부티크와 카페가 많습니다.

A 북촌에는 조선시대 건축물이 많습니다.

B 여기는 정말 도보 관광하기 좋은 곳입니다.

### 회화 2

A 듣자 하니 홍대에 거리 공연이 많다고 합니다.

B 공연 수준이 어떤가요?

A 아주 높아요! 어떤 사람들은 연예 매니지먼트에 캐스팅되기도 합니다.

B 그래요? 오늘 저녁에 꼭 보러 가야겠네요.

## 실력 향상하기

1 (1) B       (2) A       (3) C

### 🎧 녹음 대본

A 这一带是北村韩屋村。

B 三清洞有很多咖啡厅。

C 弘大有很多街头演出。

2 (1) ○     (2) ○     (3) ✕     (4) ○

### 🎧 녹음 대본

(1) 北村有很多朝鲜时代的建筑。

(2) 表演水平很高。

(3) 弘大有很多精品店。

(4) 三清洞真是徒步观光的好地方。

3 (1) 和            (2) 这里

  (3) 被            (4) 听说

4 (1) 三清洞有很多咖啡厅。

  (2) 表演水平怎么样?

  (3) 今晚一定要去看看。

  (4) 这一带是三清洞和北村韩屋村。

5 (1) 他们的表演水平很高的!

  (2) 这是朝鲜时代的建筑。

# CHAPTER
# 04

## 회화 학습하기

### 회화 1

A 와! 정말 푸짐하네요!

B 오늘 정통 한정식을 맛볼 수 있게 되었어요.

A 당신 한 번 먹어 보지 않았나요? 저희에게 소개 좀 해 주세요.

B 네. 한정식에는 전채, 메인 요리, 주식, 후식이 있습니다.

**회화 2**

A 오늘 서핑을 했는데 정말 재미있었어요.

B 저는 배가 좀 고파요. 우리 밥 먹으러 가요.

A 이곳의 해산물은 무척 유명해요!

B 강원도의 대표 미식은 홍합이에요.

A 그럼 우리 한번 맛보러 갑시다.

## 실력 향상하기

**1** (1) B (2) A (3) C

**🎧 녹음 대본**

A 韩式套餐有开胃菜、主菜、主食和甜点。

B 江原道的代表美食是红蛤。

C 今天滑了冲浪板真有意思。

**2** (1) × (2) ○ (3) × (4) ○

**🎧 녹음 대본**

(1) 今天我们去江原道。

(2) 江原道的红蛤很有名!

(3) 我有点儿饿了。

(4) 我吃过韩式套餐。

**3** (1) 有点儿 (2) 给
(3) 过 (4) 尝到

**4** (1) 哇! 真丰盛啊!
(2) 咱们去吃饭吧。
(3) 那我们去尝一尝吧。
(4) 今天滑了冲浪板真有意思。

**5** (1) 滑冲浪板真有意思。
(2) 韩式套餐很丰盛。

# CHAPTER
# 05

## 회화 학습하기

**회화 1**

A 오늘 저녁에 우리 게스트하우스에서 묵는 거죠?

B 맞아요. 서울 시내에 있어요.

A 어떤 집인가요?

B 전형적인 한옥입니다.

A 샤워 시설이 있나요?

B 물론 있습니다.

**회화 2**

A 모두들 자리에 앉으세요.

B 오늘 우리는 바비큐를 먹어요.

A 어떤 술을 마시나요?

B 폭탄주를 마셔요.

A 네? 폭탄주가 뭐예요?

B 바로 맥주에 소주를 더한 거예요.

A 당신은 몇 잔을 마실 수 있나요? 오늘 저녁 한바탕 마셔 봅시다.

## 실력 향상하기

**1** (1) C (2) B (3) A

**🎧 녹음 대본**

A 喝炮弹酒。

B 今天我们吃烤肉。

C 有没有洗浴设施?

**2** (1) × (2) ○ (3) ○ (4) ×

**🎧 녹음 대본**

(1) 没有洗浴设施。

(2) 是典型的韩屋。

(3) 就是在啤酒里加烧酒。

(4) 今晚好好喝吧。

**3** (1) 在      (2) 几

   (3) 什么样      (4) 对吗

**4** (1) 当然有。

   (2) 什么叫炮弹酒？

   (3) 请大家入席吧。

   (4) 今天我们吃烤肉。

**5** (1) 我喝过炮弹酒。/ 我没喝过炮弹酒。

   (2) 我看过韩屋。/ 我没看过韩屋。

# CHAPTER
# 06

## 회화 학습하기

**회화 1**

A 전주 돌솥비빔밥은 한국의 유명한 음식입니다.

B 어떻게 만드는 건가요?

A 밥 위에 다진 쇠고기와 여러 가지 채소를 올리고, 고추장과 참기름을 넣고 골고루 비벼요.

B 정말 건강한 음식이군요!

A 맞아요! 돌솥 바닥의 누룽지가 더욱 일품이에요.

B 기왕 왔으니, 우리 한번 맛봅시다.

**회화 2**

A 전주 한옥마을은 '한국 최대의 한옥마을'입니다.

B 우리 한국의 전통 문화를 체험해 보는 게 어때요?

A 어떤 문화 활동들이 있나요?

B 미식, 한복 체험 그리고 전통 놀이가 있어요.

A 어쩐지 곳곳에 한복을 입은 사람들이 보이네요.

## 실력 향상하기

**1** (1) A      (2) B      (3) C

🎧 녹음 대본

  A 既然来了，我们就尝尝吧。

  B 有韩服体验和传统游戏。

  C 锅底的锅巴更是一绝。

**2** (1) ○      (2) ×      (3) ×      (4) ○

🎧 녹음 대본

  (1) 全州石锅拌饭是韩国有名的美食。

  (2) 我们体验一下韩国的美食文化怎么样？

  (3) 全州韩屋村是"韩国有名的韩屋村"。

  (4) 是啊！锅底的锅巴更是一绝。

**3** (1) 既然……就……    (2) 在……上面

   (3) 和            (4) 到处

**4** (1) 真是健康食品啊！

   (2) 我们就尝尝吧。

   (3) 是怎么做的呢？

   (4) 都有什么文化活动？

**5** (1) 我吃过全州石锅拌饭。/

     我没吃过全州石锅拌饭。

   (2) 我穿过韩服。/ 我没穿过韩服。

# CHAPTER
# 07

## 회화 학습하기

**회화 1**

A 부산국제영화제에 대해 들어 보셨어요?

B 물론이죠. 매년 10월 초에 열려요.

A 영화제의 역사가 얼마나 됐나요?

B 이미 20여 년 정도 됐어요.

A 영화제에 와 본 적 있지 않아요?

B 네. 스타들이 파티복을 차려 입고 레드카펫을 걷는데, 정말 아름다워요!

**회화 2**

A 오늘은 F1963에 가려고 합니다.

B 거기는 어떤 곳이죠?

A 예전에는 버려진 공장이었는데, 지금은 복합 문화 공간으로 바뀌었어요.

B 그곳엔 뭐가 있나요?

A 카페, 전시관, 서점, 그리고 마당 등이 있어요.

B 우리 어서 가 봐요.

## 실력 향상하기

**1** (1) C  (2) B  (3) A

### 🎧녹음 대본

A 我去过釜山。

B 那里有咖啡厅和书店。

C 明星们穿着礼服走红毯。

**2** (1) ×  (2) ○  (3) ×  (4) ○

### 🎧녹음 대본

(1) 电影节已经有20多年的历史了。

(2) 釜山国际电影节每年十月初举行。

(3) F1963以前是文化空间。

(4) F1963里有展览馆和庭院等。

**3** (1) 多  (2) 不是
  (3) 地方  (4) 极了

**4** (1) 现在改成综合文化空间。
  (2) 每年十月初举行。
  (3) 那里都有什么？
  (4) 我们快去看看吧。

**5** (1) 我听说过釜山国际电影节。/
    我没听说过釜山国际电影节。
  (2) 有咖啡厅、展览馆、书店和庭院等。

CHAPTER

# 08

## 회화 학습하기

### 회화 1

A 제주 바다를 보니 참 편안해요!

B 그렇죠. 이 유채꽃밭도 정말 아름다워요.

A 우리 여기서 사진을 찍어요.

B 저기 경마장도 있어요.

A 저는 말을 타고 싶어요!

B 먼저 성산일출봉에 오르고, 그 다음에 말을 타는 게 좋겠어요.

### 회화 2

A 저는 케이팝 팬이에요.

B 제주도에 케이팝 박물관이 있는데, 매우 인기 있어요.

A 듣자 하니 1층에서는 홀로그램 콘서트를 볼 수 있다고 해요.

B 맞아요. 2층에서는 스타와 함께하는 체험도 할 수 있어요.

A 3층에는 레드카펫 포토존이 있죠?

B 네. 우리는 스타가 되는 느낌을 체험해 볼 수 있어요.

## 실력 향상하기

**1** (1) C  (2) B  (3) A

### 🎧녹음 대본

A 我真想骑马！

B 这一大片油菜花也是美极了。

C 济州有个K-POP博物馆。

**2** (1) ○  (2) ×  (3) ×  (4) ×

### 🎧녹음 대본

(1) 我们在这儿照张相吧。

(2) 那儿还有城山日出峰呢。

(3) 我是个K-POP迷。

(4) 在三楼可以看到全息影像演唱会。

**3** (1) 舒服　　　　　　(2) 先
　　(3) 人气　　　　　　(4) 当

**4** (1) 二楼还可以体验与明星互动。
　　(2) 我真想骑马!
　　(3) 这一大片油菜花也是美极了。
　　(4) 三楼有红毯拍照区吧?

**5** (1) 我看过济州的大海。/
　　　 我没看过济州的大海。
　　(2) 我去过K-POP博物馆。/
　　　 我还没去过K-POP博物馆。

## CHAPTER
# 09

회화 학습하기

**회화 1**

A 우리는 오늘 쁘띠프랑스에 갑니다.

B 그곳은 바로 한국 드라마 「별에서 온 그대」의 촬영 장이죠?

A 네. 가는 길에 아침고요수목원도 들를 수 있어요.

B 그곳은 어떤 곳이에요?

A 그곳은 「구르미 그린 달빛」의 촬영장이에요. 한국 식 정원의 아름다움을 감상할 수 있어요.

B 정말 멋지네요!

**회화 2**

A 한국 드라마 속의 한국 음식은 정말 맛있어 보여요.

B 맞아요. 한국 드라마에는 어떤 음식들이 자주 나 오나요?

A 불고기, 삼계탕, 떡볶이 등이 있습니다.

B 당신 말을 들으니 저도 한국 음식이 먹고 싶어졌 어요.

A 전문적으로 외국인에게 한식을 가르쳐 주는 수업 이 열린다고 들었어요.

B 그럼 우리도 가서 배워 봐요.

실력 향상하기

**1** (1) B　　　　(2) C　　　　(3) A

🎧 녹음 대본

A 有参鸡汤、辣炒年糕等等。
B 我们今天去小法兰西。
C 可以欣赏韩式庭园之美。

**2** (1) ✕　　(2) ○　　(3) ○　　(4) ✕

🎧 녹음 대본

(1) 顺路还可以到晨静树木园。
(2) 那里是《云画的月光》的拍摄场。
(3) 韩剧里的韩食看起来非常好吃。
(4) 听说有专门给外国人开的韩食课程。

**3** (1) 棒　　　　　　(2) 之
　　(3) 等等　　　　　(4) 吧

**4** (1) 我们今天去小法兰西。
　　(2) 那是什么地方?
　　(3) 听你一说我也就想吃韩食了。
　　(4) 那我们也去学一学。

**5** (1) 有烤肉、参鸡汤、辣炒年糕等等。
　　(2) 那里是《云画的月光》的拍摄场。

## CHAPTER
# 10

회화 학습하기

**회화 1**

A 이곳은 외국 공관이 많을 뿐만 아니라, 외국인도 많아요.

B 그래서 이태원을 '서울의 작은 지구촌'이라고도 부 르지요.

A 이태원은 매년 10월에 축제를 개최합니다.

B 평소에도 여러 나라의 음식을 맛볼 수 있어요.

A 보세요. 저기에 터키 식당이 있어요.

B 우리 먼저 터키 음식을 먹고, 그리고 나서 디저트 가게에 가요.

### 회화 2

A 이태원의 야경은 정취가 있어요.

B 맞아요! 많은 레스토랑과 바가 있어요.

A 외국인도 적지 않아요. 그들은 음악을 들으면서 이야기를 나눠요.

B 어떤 사람은 커피를 마시고, 어떤 사람은 맥주를 마셔요.

A 마치 유럽에 온 기분이에요.

B 우리 오늘 밤 이태원 클럽에 가 보는 게 어때요?

A 좋은 생각이에요!

## 실력 향상하기

**1** (1) C      (2) A      (3) B

🎧 녹음 대본

A 有的人喝咖啡，有的人喝啤酒。

B 有很多餐厅和酒吧。

C 梨泰院有很多外国人。

**2** (1) ○    (2) ×    (3) ○    (4) ×

🎧 녹음 대본

(1) 梨泰院也叫"首尔小地球村"。

(2) 梨泰院每年十月举办庆典。

(3) 平时也可以尝到各国的美食。

(4) 他们边吃饭边聊天。

**3** (1) 有          (2) 然后
    (3) 情趣        (4) 而且

**4** (1) 外国人也不少呀。

(2) 那儿有土耳其餐厅。

(3) 好像是到了欧洲的感觉。

(4) 今晚我们去梨泰院的歌舞厅，怎么样?

**5** (1) 梨泰院不但外国公馆多，而且外国人也很多。

(2) 首尔的夜景很有情趣。

---

CHAPTER
# 11

## 회화 학습하기

### 회화 1

A 보세요! 석촌호수의 벚꽃이 정말 아름다워요.

B 저 높은 빌딩은 무엇이죠?

A 롯데월드타워입니다. 세계에서 다섯 번째로 높은 빌딩이에요.

B 올라가면 서울 시내 전경을 볼 수 있지요?

A 맞아요. 우리 오늘은 롯데월드에 가고, 내일 롯데월드타워에 갑시다.

B 아주 좋아요.

### 회화 2

A 압구정에는 곳곳에 성형외과가 있군요.

B 한국의 성형수술이 유명하기 때문이지요.

A 많은 외국인이 한국에 와서 의료 관광을 합니다.

B 압구정에서 앞쪽으로 가면 바로 청담동이에요.

A 청담동에는 명품 매장 외에 엔터테인먼트 회사도 있습니다.

B 네. 길거리에서 어쩌면 케이팝 스타를 마주칠 수도 있어요!

## 실력 향상하기

**1** (1) B      (2) A      (3) C

🎧 녹음 대본

A 石村湖的樱花美极了。

B 那是乐天塔，世界第五大高楼。

C 上去的话，可以看到首尔市全景。

**2**　(1) ×　　　(2) ○　　　(3) ×　　　(4) ○

🎧 녹음 대본

(1) 咱们今天去乐天塔，明天去乐天世界。
(2) 韩国的整形手术很有名。
(3) 清潭洞到处都是整形外科医院。
(4) 清潭洞除了名品店以外还有娱乐公司。

**3**　(1) 极了　　　　　　(2) 第
　　　(3) 从　　　　　　　(4) 因为

**4**　(1) 上去的话，可以看到首尔市全景吧?
　　　(2) 那高高的大厦是什么?
　　　(3) 有很多外国人到韩国来医疗观光。
　　　(4) 路上也许会看到K-POP明星!

**5**　(1) 我去过乐天世界。那里很好玩。
　　　(2) 狎鸥亭到处都是整形外科医院。

CHAPTER

# 12

## 회화 학습하기

**회화 1**

A 오늘 귀국해야 해요. 선물을 좀 사러 면세점에 갑시다.
B 저희 어머니는 한방 화장품을 좋아하셔서 한 세트 사 드리려고요.
A 저는 마스크팩을 사서 친구에게 선물하려고 해요.
B 참, 하마터면 잊을 뻔했어요. 제 친구가 화장품을 사다 달라고 부탁했는데.
A 그래요? 우리 가족은 특히 한국 김을 좋아해요.
B 그럼 우리 같이 사러 가요.

**회화 2**

A 안녕하세요! 체크아웃하려고요.
B 지금 손님이 많아요. 키오스크를 이용하실 수 있어요.

A 사용해 본 적이 없어요. 좀 도와 주시겠어요?
B 알겠습니다. 객실 카드 키를 꽂으세요.
A 오! 순서대로 진행했더니 바로 끝나네요.
B 맞아요. 셀프 체크아웃은 시간도 절약되고 편리해요.

## 실력 향상하기

**1**　(1) C　　　　　(2) A　　　　　(3) B

🎧 녹음 대본

A 我要买面膜送朋友呢。
B 现在客人特别多，您可以用自助服务机。
C 请问，免税店在哪儿?

**2**　(1) ×　　　(2) ○　　　(3) ×　　　(4) ○

🎧 녹음 대본

(1) 明天要回国了。
(2) 我要给妈妈买化妆品。
(3) 我特别喜欢韩国海苔。
(4) 自助退房既省时间又方便。

**3**　(1) 些　　　　　　(2) 帮
　　　(3) 按　　　　　　(4) 差点儿

**4**　(1) 我要给妈妈买一套化妆品。
　　　(2) 我要买面膜送朋友呢。
　　　(3) 你好! 我要退房。
　　　(4) 请插入房卡。

**5**　(1) 我妈妈喜欢韩方化妆品。
　　　(2) 那我们一起去买吧。

# 한어병음 자모 배합표

| | a | o | e★ | i(-i) | u | ü | ai | ao | an | ang | ou | ong | ei★ | en★ | eng★ | er | ia |
|---|---|---|---|---|---|---|---|---|---|---|---|---|---|---|---|---|---|
| b | ba | bo | | bi | bu | | bai | bao | ban | bang | | | bei | ben | beng | | |
| p | pa | po | | pi | pu | | pai | pao | pan | pang | pou | | pei | pen | peng | | |
| m | ma | mo | me | mi | mu | | mai | mao | man | mang | mou | | mei | men | meng | | |
| f | fa | fo | | | fu | | | | fan | fang | fou | | fei | fen | feng | | |
| d | da | | de | di | du | | dai | dao | dan | dang | dou | dong | dei | den | deng | | |
| t | ta | | te | ti | tu | | tai | tao | tan | tang | tou | tong | | | teng | | |
| n | na | | ne | ni | nu | nü | nai | nao | nan | nang | nou | nong | nei | nen | neng | | |
| l | la | | le | li | lu | lü | lai | lao | lan | lang | lou | long | lei | | leng | | lia |
| g | ga | | ge | | gu | | gai | gao | gan | gang | gou | gong | gei | gen | geng | | |
| k | ka | | ke | | ku | | kai | kao | kan | kang | kou | kong | kei | ken | keng | | |
| h | ha | | he | | hu | | hai | hao | han | hang | hou | hong | hei | hen | heng | | |
| j | | | | ji | ju | | | | | | | | | | | | jia |
| q | | | | qi | qu | | | | | | | | | | | | qia |
| x | | | | xi | xu | | | | | | | | | | | | xia |
| zh | zha | | zhe | zhi | zhu | | zhai | zhao | zhan | zhang | zhou | zhong | zhei | zhen | zheng | | |
| ch | cha | | che | chi | chu | | chai | chao | chan | chang | chou | chong | | chen | cheng | | |
| sh | sha | | she | shi | shu | | shai | shao | shan | shang | shou | | shei | shen | sheng | | |
| r | | | re | ri | ru | | | rao | ran | rang | rou | rong | | ren | reng | | |
| z | za | | ze | zi | zu | | zai | zao | zan | zang | zou | zong | zei | zen | zeng | | |
| c | ca | | ce | ci | cu | | cai | cao | can | cang | cou | cong | | cen | ceng | | |
| s | sa | | se | si | su | | sai | sao | san | sang | sou | song | | sen | seng | | |
| 성모가 없을 때 | a | o | e | yi | wu | yu | ai | ao | an | ang | ou | | ei | en | eng | er | ya |

○ 운모 'ü'가 성모 'j', 'q', 'x'와 결합할 때 각각 'ju', 'qu', 'xu'로 표기한다.

○ 'i'의 발음은 우리말 '으' 발음과 유사한데, 구강의 앞부분에서 발음하도록 한다.

○ 운모 'i', 'u', 'ü'가 성모 없이 단독으로 쓰일 때 각각 'yi', 'wu', 'yu'로 표기한다.

## 주의해야 할 발음

- 'e'가 성모와 결합할 때는 [ɤ]로 발음한다. 단, 'e'가 '了(le)'와 같이 경성으로 쓰일 때는 [ə]로 발음한다.
- 'ei'의 'e'는 [e]로 발음한다.
- 'en'과 'eng'의 'e'는 [ə]로 발음한다.

| ie | iao | iou(iu) | ian | in | iang | ing | iong | ua | uo | uai | uei(ui) | uan | uen(un) | uang | ueng | üe | üan | ün |
|---|---|---|---|---|---|---|---|---|---|---|---|---|---|---|---|---|---|---|
| bie | biao | | bian | bin | | bing | | | | | | | | | | | | |
| pie | piao | | pian | pin | | ping | | | | | | | | | | | | |
| mie | miao | miu | mian | min | | ming | | | | | | | | | | | | |
| | | | | | | | | | | | | | | | | | | |
| die | diao | diu | dian | | | ding | | | duo | | dui | duan | dun | | | | | |
| tie | tiao | | tian | | | ting | | | tuo | | tui | tuan | tun | | | | | |
| nie | niao | niu | nian | nin | niang | ning | | | nuo | | | nuan | | | | nüe | | |
| lie | liao | liu | lian | lin | liang | ling | | | luo | | | luan | lun | | | lüe | | |
| | | | | | | | | gua | guo | guai | gui | guan | gun | guang | | | | |
| | | | | | | | | kua | kuo | kuai | kui | kuan | kun | kuang | | | | |
| | | | | | | | | hua | huo | huai | hui | huan | hun | huang | | | | |
| jie | jiao | jiu | jian | jin | jiang | jing | jiong | | | | | | | | | jue | juan | jun |
| qie | qiao | qiu | qian | qin | qiang | qing | qiong | | | | | | | | | que | quan | qun |
| xie | xiao | xiu | xian | xin | xiang | xing | xiong | | | | | | | | | xue | xuan | xun |
| | | | | | | | | zhua | zhuo | zhuai | zhui | zhuan | zhun | zhuang | | | | |
| | | | | | | | | chua | chuo | chuai | chui | chuan | chun | chuang | | | | |
| | | | | | | | | shua | shuo | shuai | shui | shuan | shun | shuang | | | | |
| | | | | | | | | rua | ruo | | rui | ruan | run | | | | | |
| | | | | | | | | | zuo | | zui | zuan | zun | | | | | |
| | | | | | | | | | cuo | | cui | cuan | cun | | | | | |
| | | | | | | | | | suo | | sui | suan | sun | | | | | |
| ye | yao | you | yan | yin | yang | ying | yong | wa | wo | wai | wei | wan | wen | wang | weng | yue | yuan | yun |

'uei', 'uen'이 성모와 결합할 때 각각 'ui', 'un'으로 표기한다.

'ü'가 'j', 'q', 'x'와 결합할 때 'u'로 표기한다.

'iou'가 성모와 결합할 때 'iu'로 표기한다.

'i'가 음절의 첫 글자로 쓰일 때 'y'로 표기한다.

'ü'가 음절의 첫 글자로 쓰일 때 'yu'로 표기한다.

'u'가 음절의 첫 글자로 쓰일 때 'w'로 표기한다.

- 'ie'의 'e'는 [ɛ]로 발음한다.
- 'ian'의 'a'는 [ɛ]로 발음한다.
- 'uei'의 'e'는 [e]로 발음한다.
- 'üe'의 'e'는 [ɛ]로 발음한다.

※ [ ] 안의 음가는 국제음성기호(IPA)를 따름

다락원 홈페이지에서 MP3 파일
다운로드 및 실시간 재생 서비스

# 관광중국어마스터
## 호텔종사자·외식업종사자·관광가이드 편

**지은이** 이종순, 이의선, 송원경
**펴낸이** 정규도
**펴낸곳** (주)다락원

**제1판 1쇄 발행** 2019년 2월 15일
**제1판 2쇄 발행** 2025년 1월 17일

**기획·편집** 정아영, 정다솔, 이상윤
**디자인** 구수정, 최영란
**일러스트** 박지연
**녹음** 曹红梅, 朴龙君, 허강원

**다락원** 경기도 파주시 문발로 211
전화: (02)736-2031(내선 250~252/내선 430~437)
팩스: (02)732-2037
출판등록 1977년 9월 16일 제406-2008-000007호

**ISBN** 978-89-277-2254-0  14720
       978-89-277-2162-8  (set)

**www.darakwon.co.kr**
다락원 홈페이지를 방문하시면 상세한 출판 정보와 함께 동영상 강좌,
MP3 자료 등 다양한 어학 정보를 얻으실 수 있습니다.